現代法の焦点

法感覚へのプロローグ

佐藤幸治・田中成明

有斐閣リブレ

目　次

＊扉写真・共同通信社提供

▨ 対談者紹介 ▨

佐藤幸治先生

1937年新潟県に生まれる。1961年，京都大学法学部卒業。

現在，京都大学法学部教授。

（主要著作）　『日本憲法史』（共著）東京大学出版会，1976年，『憲法（現代法律学講座）』青林書院，1981年，『注釈日本国憲法（上）』（共著）青林書院，1984年，『憲法訴訟と司法権』日本評論社，1984年，『現代国家と司法権』有斐閣，近刊。

「プライヴァシーの権利」（その公法的側面）の憲法論的考察(1)，(2)」法学論叢86巻5号，87巻6号，1970年，「違憲判決の効力」（法学論叢94巻3・4合併号，1974年，「表現の自由」「集会結社の自由」「通信の秘密」芦部信喜編『憲法Ⅱ人権(1)』有斐閣，1978年，「法における新しい人間像」『基本法学1―人』岩波書店，1983年，「法・権力・社会―部分社会論に寄せて」長尾龍一＝田中成明編『現代法哲学(3)』東京大学出版会，1983年，「日本国憲法と違憲審査制の類型」法学論叢116巻1～6合併号，1985年，「現代国家と司法権(1)～(4)」法曹時報38巻8号・10号，39巻1号・4号，1986～7年，「人権の観念」ジュリスト臨時増刊『憲法と憲法原理』有斐閣，1987年。

田中成明先生

1942年，兵庫県に生まれる。1964年，京都大学法学部卒業。

現在，京都大学法学部教授。

（主要著作）　『裁判をめぐる法と政治』有斐閣，1979年，『現代法哲学（全3巻）』（共編著）東京大学出版会，1983年，『現代法理論』有斐閣，1984年，『現代日本法の構図』筑摩書房，1987年。

「法的思考の合理性(1)～(8)」法学教室20～8号，1982～3年，「法律家」『基本法学1―人』岩波書店，1983年，「裁判の正統性」『講座民事訴訟法Ⅰ』弘文堂，1984年，「現代における裁判の機能の拡大」公法研究46号，1984年，「権利の生成と裁判の役割について」法学論叢116巻1～6合併号，「日本の法文化の現況と課題」思想744号，1986年，など。

学　生

松村　徹

1963年生まれ，金沢大学教育学部付属高等学校卒，京都大学法学部卒。

田之上玲子

1964年生まれ，大阪府立北野高等学校卒，同志社大学法学部卒。

現代法の焦点

――法感覚へのプロローグ

第1章　現代法へのアプローチ

I　法との出会い

●はじめに

田中　今日は、法律学をこれから学び始めようとしている諸君や、ある程度法律学を勉強してきたがもう少し広い視野から理解を深めたいと考えている諸君を念頭におきながら、その学習の道案内にでもなればというねらいで、現代国家あるいは現代社会のなかで法というもの全体や個々の法的問題に対してどのようなアプローチが考えられるか、また、権利・人権や裁判をめぐる最近の問題状況を原理的にどう理解し、法的にどのように対処すべきかなどについて、学生諸君二人を交えて、話しあってみたいと思います。

私共二人の基本的な役割分担としては、一応、佐藤さんには、憲法学の焦点や憲法判例の流れを政治的あるいは思想的な背景や意義とも関連づけて説明していただきつつ、主として法と国家との関係や公権力と市民とのタテの関係での法の機能に焦点をあわせて話していただき、私のほうは、最近の法状況の展開を法哲学的あるいは法社会学的な観点からどうとらえることができるかを説明しつつ、主として法と社会との関係や市民相互のヨコの関係での法の機能に焦点をあわせて話をすることになっております。形式としては、まず、学生のお二人に質問していただいて、それに私共二人が答えたり、あるいは、私共の間でもやりとりをしたりしながら進めていきたいと思います。私共二人の話が難しくなったり独走したりする恐れもありますので、そこは学生諸君にうまくチェックしていただくことを期待しております。

それではレディ・ファーストということで、まず田之上さんに口火を切っていただきましょうか。

法学部志望の動機

田之上　いま法学部にいる私たちというのは、比較的豊かな時代にうまれ、しかも大学に入るまでは、受験、受験で、法学部を志望した動機も法律の専門家をめざすというより、もっといろいろな理由があることが多いと思うのですけれども、先生方が法学部を志望された動機をまず最初に伺いたいと思います。

佐藤　どうして法学部に入ったのかということですけれども、あまりはっきりした目的はなかったような気がします。私の友達などをみましても、明確な目的をもって特に法学部に入ったという者はあまりいなかったようですね。ただ、強いて私自身のことについていえば、中学・高校の頃に、〝正義〟というようなものを幼いなりに、何かいろいろ考えるところがあり、法学というのはそういう種類の問題を比較的直接に扱うところではないかと漠然と感ずるところがあったことはたしかなようです。

田中　私の場合は、要するに、理数系科目に関心がなく、出来もよくなかったので、文科系学部しか選択肢のなかになく、そのなかでは最も〝つぶしがきく〟学部ということで法学部を選んだというのが、現実的な動機だったと思います。ただ、小学校高学年の頃から、ジャーナリストに関心をもっていて、政治社会や天下国家の問題にはもともと興味があったようで、法学部を選んだ理由は、やはりそれなりにあったとはいえます。

●正義の問題と人間の生き方

田之上　今お伺いしたような動機から法学部に入られて、どのような印象をもたれ、どのような学生生活を送られたのか、そのあたりを少しお話しいただけないでしょうか。

佐藤　中学・高校時代というのは、多くの者にとってそうだろうと思いますけれども、私も、ある種の〝絶対的な正義〟といいますか、そういうものに思いを募らせるというようなところがありました。ただ、大学に入ってしばらくするうちに、そもそもそういう〝正義〟というものがあるのかどうか、あるとしても、どうやってそれを認識することができるのか、ということに疑問をもち始めました。少なくとも、そういった事柄はそう単純なことではないのだということを知り始めたのです。さらに、〝正義〟といわれるようなものと、具体的な生身の人間の生き方といったものとがどういう関係にあるのか、という点がわからなくなったということでした。換言すれば、中学・高校時代に〝正義〟について関心があったといいましても、それは、〝具体的な人間〟の生き方と切り離された形で、なにかきわめて抽象的な次元のものではなかったか、と今にして思います。

こういうことを今日言葉にしていいますと、なにか浮き上がったことを口走るという感じもしないではないのですが、自分自身をどう扱っていいのかわからなくなるというようなことになりまして、中学・高校時代にあれほど真剣に考えていた〝正義〟の問題から遠ざかって、自分自身の生き方の問題に精一杯になったといいますか、あるいは、客観的にいえば、〝具体的な人間〟の生きざまというようなものに関心をもつようになっていきました。

そういうようなことで、小説とか評論とか哲学書とかというような類を、わけのわからないままに読みあさるということになりました。われわれの青春時代は実存主義の盛んな頃でして、私も、サルトルとかカミュとかドストエフスキーとかいったようなものを、むさぼるように読んだものです。もっとも、ドストエフスキーやカミュの小説は今も頭に残っていますが、学生の頃最も意味深長なもののように思われたサルトルの所論はなぜかほとんど頭に残っておりません。

そうこうしているうちに、非常に平凡なことですが、だんだんこういうように考えるようになっていきました。つまり、各人は自分のことは結局自分で責任をもって生きていかなければならないのだということ、そしてさらに、一人ひとりが皆他に譲れない――ときには絶対に譲れない――何ものかをもって生きているのだということ、そして同時に、他面では、人間はそれぞれ一人では生きていけないのだということ、人間は一人で生きていくにはあまりにも不足しているところが大きいのだということ、をだんだん考え固めるというようになっていきました。

そして、社会とか国家とか権力とかいったようなものも、基本的には、今いったようなところに関係しているのではなかろうか、少なくともそういう観点からみるべきものではなかろうか、と思うようになっていったわけです。〝正義〟というようなものも、結局、そういう人間のあり方の二面性、つまり、自分自身で生きていかなければならないのだということ、他に（絶対に）譲れない何ものかをもちながら生きているのだということ、と同時に、お互いに不足したものを補いあいながら生きていかなければならないのだということ、と関係しているのではないか、少なくともそういう観点から〝正義〟の問題をみていかなければならないのではないか、と考えるようになったのです。なにか抽象的で、壮大な、絶対的な〝正義〟というようなことでは、個々の人間の存在がかすんでいってしまうのではないか、各人のもつ（絶対に）譲れない何ものかをローラーのごとく圧し潰す〝正義〟とは一体何なのか、というわけですね。

要するに、自己の生存に責任をもち、他に譲れない何ものかをもった個々の人間が、同時に、それぞれ欠けているものを補いあいながら共存できるということ、そこに〝正義〟の存在理由があり、それとのかかわりあいで国家なり法なりの存在理由があるのではないか、と思うようになっていったわけです。

◉政治的関心と法律学への興味

田中　佐藤さんの話を伺っていると、やはり当時はやった実存主義の洗礼を受けた生活スタイルだったと思いますよ。私の場合は、実存主義にもかなり関心をもち、あれこれ考え悩んだ事柄も決して少なくありませんが、概して外的事情に左右されながら学生生活を送った感じです。

入学直後から六〇年安保闘争が盛んになって、夏休みまで、授業もストが多くほとんどなく、自分なりに意気と情熱をもって集会やデモに出かけ、著名な先生方のアジ演説もよく聴きました。しかし、段々と政治とか権力というものに対する不信感というか懐疑の念が強まり、距離をおいてかなりシニカルにみるようになったわけです。ジャーナリズムについても同じで、その頃は、もうジャーナリストへの関心もなくなっていました。他に教養部時代の生活で思い出すのは、第三次京大俳句会の再建に参加して、俳句に相当凝っていたことです。

法律学を真面目に勉強するようになったきっかけは、友人に誘われて法律相談部に入り、良き師・

佐藤幸治先生

田之上玲子さん

先輩・友人を得たことだったと思います。とくに顧問の於保不二雄先生からは、法律相談活動や民法ゼミナールなどを通じて、実にいろいろなことを教わりました。このようなきっかけがなかったら、おそらく、法律学に興味をもたないままに卒業して、今頃は、俳句などをたのしみながら平均的なサラリーマン生活を送っていただろうと思います。

当時の法律相談のことで印象に残っているのは、まず学生が相談に来られた方から事情を聞いて一応結論を出して、難しい事件についてはその結論を顧問の先生に再度検討していただくという方式をとっていたのですが、われわれ学生が苦労して考え出した理論構成や結論を説明すると、先生は、「うん、まあ、理論的にはそうなるのだろうが、話を聞いてみると、この事件は調停にもっていくのがよさそうだな」という判断を下されることが非常に多かったことです。於保先生の講義や著作は、理論構成が厳密なことで定評があったので、当初は意外に思ったのですが、そのうちに、法的紛争といっても、いろいろな要因が重なりあって生じたものだから、紛争全体を適切に解決するためには、

田中成明先生

松村　徹さん

関連する法規や判例をよく知り法的問題をきちんとつめて考えておくべきだが、軽々しく法規・判例や法的理屈をもちだすべきではないということが、段々わかってきました。

大言壮語が幅をきかしていた政治やジャーナリズムよりも、地味で技術的な法的問題処理も、それなりに意義のあることではないかと思うようになり、また、その先何が起こるかわからぬ世の中で男一匹自由に生きていくためには、いざというときに備えて司法試験ぐらい受かっておくのがよいのではないかという考えもあって、三回生位からは真面目に法律学を勉強するようになりました。

松村　お二人の先生から普段伺えない興味深いお話を聞かせていただきましたが、そういった学生生活を送られたり研究者の道を選ばれたりするのに大きな影響を受けられた書物などありましたら、少し話していただけないでしょうか。

◉「立憲主義」論——佐々木惣一先生

佐藤　先ほど話したような方向でものを考えるようになったときに、佐々木惣一先生の『日本国憲法論』に接し、非常に心動かされるものがありました。その中で、先生は、「国家の概念」に関して、「国家は総般の人間目的の達成のために活動する団体である」というように定義しておられます。それから「国家の政治的形態」に関して、「国体」と「政体」とを区別し——これは、明治憲法時代に一般に行なわれた説明方法でして、「国体」は何人が統治権の主体かについてのもの、「政体」は統治権の行使方法についてのもの、ということですが、先生は戦前も、また戦後もこのような説明方法によっておられました――そして「政体」との関係で「立憲主義」を論じて、次のように指摘しておられます。「『立憲主義』という精神は国権の発動に関して二つの思想を含む」とし、第一は、「国権の発動について、人間の志向する目標に関する思想である。国権の濫用により国民の人間要求が蹂躙せられることに対して、国民の人間要求を保全する、という思想である」といわれます。先生の憲法論というと、なにか無味乾燥な憲法論だと思われがちなのですが、ここに「国民の人間要求」というような表現がみられることに注目していただきたいと思います。それでは「国民の人間要求」とは何かということですが、それは「生命を保持し自由を享受し幸福を追求することに帰着する」といわれております。第二は、「国権の発動について、人間が前述の目標に到達する道程に関する思想である」ということです。政治上の目標として何を想定するかということは大変重要なことですが、「立憲主義という精神」は、そういう目標自体もさることながら、その目標をどうやって実現するのか、にも重大なかかわりがある、まさに「道程に関する思想」を含むというわけです。

こうした内容をもつ佐々木先生の本を読み、専門に入っていろいろな講義を聴いたりするなかで、人間の社会では、「道程」にかかわる問題が実は大きな問題なのだということを強く意識するようになっていきました。そういう「道程」にかかわるところに法の存在理由の大きな面があるのではないかというように思うようになっていったのです。学生時代に刑事訴訟法や民事訴訟法等のいわゆる手続法に興味をおぼえたのも、こうしたことと関連があったのかもしれません。

◉『隷従への道』――F・A・ハイエク

田中　私のほうは、佐藤さんのように、現在の専攻と直接関連する書物からは、あまり影響を受けたことはありません。G・ラートブルフ（尾高朝雄＝碧海純一訳）『法学入門』とか尾高朝雄『法の窮極に在るもの』などを一回生の夏休みに読んでいるのですが、まだ理解力不足だったのだと思いますが、ほとんど印象に残っておらず、法哲学を専攻することになったことと全然関係ありません。

ただ、新自由主義者として最近注目を集めているF・A・ハイエク『隷従への道』の一部が一回生の英語のテキストに使われていて、その全体の翻訳を図書館から借り出して読んだことがあり、そのなかで、中央集権的な社会計画化が必然的に全体主義的独裁に導くことを警告し、〝法の支配〟のもとでの自由な社会を擁護していたのが、当時の支配的風潮にあわなかったにもかかわらず、妙に印象に残っています。学内が騒然として、学生に迎合的な講義をする先生方もあったなかで、宇治分校の薄暗い、旧兵舎を転用した教室で、淡々とハイエクの考え方を解説されていた先生に好感をもったことにもよると思いますが、ハイエクの主張のなかに京大の伝統につながる何かを感じとったこともあったのではないかと、最近では考えるようになっています。

法律学を学び始めた後は、於保不二雄『財産管理権論序説』や川島武宜『所有権法の理論』などを、どの程度理解できていたのかわかりませんが、それなりに興味深く読んだ記憶があります。最近は、かなり真面目な学生でも、この種の書物をほとんど読まないようですが、当時の学生は、こういう専門的な書物も結構よく読んでいて、わかったような顔をしてあれこれ議論しあったものです。

Ⅱ　研究者になった頃とその後

●憲法学を選択した時代的背景

松村　先ほど佐藤先生のほうから中学・高校の頃から正義や人間についてお考えになって、それから佐々木先生の著書に触れられて人間の志向する目標に到達する道程についての重要性を考えられたというお話がありました。そうした関心を経て先生は研究者の道へ進まれたわけですけれども、そのような問題意識が研究を始められたころ憲法の研究においてどのように展開されていったのかということについてお話しいただけないでしょうか。

佐藤　先ほどの田中さんの話を伺いながら、法への関心のもち方には二つのタイプがあるのかもしれないと思いました。つまり、国家のレベルで法に関心をもち、そういう観点からだんだん法に興味をおぼえていくというタイプ、および、社会のレベルといいますか、もっと広い社会一般の中で生きた法というものへの関心から法にだんだん興味を深めていくというタイプですね。そういうことからいいますと、先ほどお話ししたように私の場合は前者のタイプに属するということになりましょうか。それが結果的にみれば研究者として憲法学をやるということになったのだろうと思います。学生時代の個人的な問題意識といった側面については先ほどお話ししましたが、それと併せて、当時の私ども学生をとりまく社会・政治的環境といったものも相当の影響があったのかもしれません。若干列挙すれば、第一に、当時改憲論議が非常に盛んでした。そして、三四年には「砂川判決」（最大判昭和三四年一二月一六日刑集一三巻一三号三二二五頁）があり、三五年にはいわゆる「六〇年安保」がありまして、国家のあり方への関心を刺激されました。

第二に、三五年に「東京都公安条例事件判決」（最大判昭和三五年七月二〇日刑集一四巻九号一二四三頁）があり、これも学生時代に非常に興味を覚えたものですが、その他三五年には「朝日訴訟第一審判決」（東京地判昭和三五年一〇月一九日行裁例集一一巻一〇号二九二一頁）等もありまして、自由と権力、個人と集団、あるいは自由と福祉といったような問題を具体的に考えさせる契機になったように思います。

第三に、私が卒業したのは三六年ですが、高度経済成長の始まりで、会社とか、労働組合といったような社会経済的な集団がクローズアップされてきたように思うわけですけれども、そういうものに知らず知らずに目を向けさせられたということがあります。そうした諸集団が個人にとってどういう意味をもっているのかということに興味をもったわけです。先ほど佐々木先生の憲法論に触れましたが、そこではそういった諸集団について何も言及されていないのです。一般に権力といえば「公権力」のことでした。しかし、見方によれば、そういった社会経済的な諸集団も権力としてとらえなければならないのではないかと漠然と感じるようになったわけです。

第四に、当時大衆社会現象というものが現出し始め、マス・メディアが非常な発達を遂げてきておりました。三六年には「宴のあと」事件が発生しております。こういったこととの関連で、個人の生活が全体社会の前に裸にされていくのではないかと不安を覚え、それへの対応に関心を向けさせられました。

第五に、いわゆる「憲法裁判」についての関心です。先にあげたような諸判決に接し、「憲法裁判」への関心を刺激されました。当時の憲法論議は、「六〇年安保」というようなこととも関連して、相当政治的にホットなものでありました。そういう中で憲法が裁判の基準として働くということは一体どういうことなのか、「裁判」と「政治」とはそれぞれどういう役割をもち、相互に関連しあっているのかというようなことに興味をもったわけです。

第六に、当時、川島武宜『科学としての法律学』がわれわれ学生の間でも広く読まれ、話題となりまして、その種の問題に関心をもちました。学生の間の議論で、「科学としての法律学」が確立されれば、例えば九条をめぐる問題も非常にきれいに解決できるのだというようなことを主張する者もおりました。私自身は、果たしてそういうものかなぁ、法律学と科学という関係はもう少し複雑ではないか、というようなことを何かよくわからないままに議論したことを覚えています。

そういったいろいろな社会・政治的環境の影響も受けて、結局、研究の対象として憲法学を選びとったということだろうと思います。

◉ 憲法学者になることに対する躊躇

ただ、職業として憲法学を勉強するということについては、私には大きな躊躇がありました。自分の能力がどうかということももちろんですが、何よりも、憲法学が国家とか政治とかというものと深いかかわり合いをもっており、その意味で研究者としてあるいは人間として傷つかざるを得ない側面が強いのではないかという不安があったためです。戦前の「天皇機関説事件」を知らないわけではありませんでしたし、戦争、そして敗戦、さらに新憲法の制定という過程において憲法学者——これは憲法学者にかぎらないとは思いますが——のたどった軌跡も少しは知っていました。そんなわけで憲法学というのは〝危険な学〟であるというように思ったのです。卒業してストレートに研究者にならなかったのはそのためでもあるのですが、しかし、結果的にみれば、結局は憲法学の勉強を職業として選びとったということになります。学生時代にいろいろ感じたものが卒業後も持続し、勉強してみたいという気持が強まり、結局その気持が勝ったということでしょうか。

実際、研究者としての生活でも学生時代に漠然と感じたことが陰に陽に頭をもたげ、研究を方向づけてきたことは否定できないように思います。

松村　そのようなところが佐藤先生のプライバシー関係の沢山の論文や、『憲法Ⅱ人権（1）』（有斐閣大学双書）における集会・結社の自由についての論稿、それから最近出ました『憲法訴訟と司法権』といった著書につながっているということですね。

佐藤　ええ、そういうようにいってよいでしょうね。

◎自由な学風と師の風格に惹かれて

松村　今度は田中先生に伺いたいのですが、田中先生は、司法試験に合格されていたと伺っていますけれども、そのような先生が法哲学の先生になられたという点については、私としては大変関心があるところなのですが、その辺のところはいかがでしょうか。

田中　司法試験も今のように異常に難しくはなかったので、運よく受かり、法曹界に入って弁護士か裁判官になろうと考えていたところ、大学に残って法哲学の研究をしてみないかということになりました。どうしても法曹界に進みたいというわけでもなかったし、法に関する原理的な問題には関心があり、京大法学部の自由な学風には魅力を感じていたし、とくに法哲学は、加藤新平先生の独特の風格のある講義を聴いて非常に感銘を受けていたので、やってみようかという気になったわけです。

ただ、法哲学の研究者になろうというようなことはそれまで全然考えたこともなく、自信もありませんでしたし、また、佐藤さんが先ほど憲法学は〝危険な学〟だとおっしゃいましたけれども、その点では法哲学も似たりよったりなので、ずいぶん迷いました。しかし、二、三年やってみて法哲学の研究者に向いていないことがわかれば、辞めて法曹界にあらためて進むことにしても遅くないのじゃないかと考え、とにかく挑戦してみようという心境になり、〝それでもよかろう〟ということで、加藤先生のもとで研究を始めたわけです。ですから、偶然のきっかけで法哲学の研究者になったわけで、あまり他の人の参考にはならないのですが、人生というのは、案外この種の偶然の積み重ねではないか、あれこれ考えても、なるようにしかならない面も多いのではないでしょうか。

松村　そのようなきっかけで法哲学を専攻するようになられ、その後の先生のご研究と、先ほど伺ったような学生生活や法律学の勉強とはどのように関連しているのでしょうか。

田中　哲学的素養のないまま法哲学の研究を始めて、加藤先生には何かとご指導いただきましたが、〝学問に師なし〟というのが京大法学部の伝統だということを早々に言い渡されて、自由に研究させてはいただきましたが、どうしてよいのか、当初は本当に苦労しました。

研究を始めた頃の問題関心としては、佐藤さんが触れられた川島武宜『科学としての法律学』、法哲学の領域では碧海純一『法哲学概論』などに代表される〝経験法学〟という潮流がその当時脚光を浴びていたのですが、法律学や法の最も重要なヒューマンな側面は、このようなアプローチによってはとらえることができないのではないかという、素朴な疑問というか、不満をもっていたので、このような潮流にとって代わる法理論をつくり上げることができれば……とは考えていました。これが、法哲学をやってみようと思った大きな動機だったと思います。しかし、何分力量不足で、二十歳代は、ドイツ法哲学の伝統の枠内での基礎的研究に明け暮れて、これといった仕事は何もできませんでした。このような当初の問題関心は、ようやく最近になって「法的思考の合理性について（一）-（八・完）」（法学教室二〇一―二〇八号）とか『現代法理論』などをまとめてみて、その輪郭が少しみえ始めたところです。

●フラー先生からの影響

七〇年前後のいわゆる大学紛争のなかで多少考えるところもあって、七一年から、佐藤さんと同じプログラムでハーヴァード大学へ留学し、法哲学だけでなく、法社会学・法人類学・政治学・哲学など、かなり幅広く勉強することにしました。当時のアメリカでは、「ウォレン・コート」が推進した裁判による平等主義的社会改革のディレンマも現われ始め、リベラル・リーガリズムの危機ということが問題となっており、法や裁判の役割とか社会的正義・自由・平等などをめぐる原理的な考察がきわめてアクチュアルな問題を素材にして活発に展開されており、二年間の留学でいろいろなことを学び、考えることができました。

全般的にロン・L・フラー先生（一九〇二―一九七八、稲垣良典訳『法と道徳』、藤倉皓一郎訳『法と人間生活』など）から影響を受けたところが多いのですが、まず、裁判などの法的メカニズムを、市民を対象・客体とする国家権力の行使とか社会統制の手段という側面からよりも、市民がそのイニシアティヴで自主的に利害調整や紛争解決を行なったり諸々の政治的・経済的な目的を実現したりするために用いる一つの制度・手続という側面からとらえ、法を動かし支える主体として市民を位置づけ、国家権力と切り離された社会的次元での法の存在や機能にもっと眼を向けるべきだということを考えるようになりました。法哲学的な問題設定や議論枠組にとらわれずに、かなり自由に、裁判手続への当事者の主体的参加や裁判の政策形成機能とか、裁判外の諸々の権利実現・紛争解決方式などの研究に関心をもつようになったのは、その一つの現われです。

また、これもフラー先生の影響といってもよいのですが、「制度」や「手続」の問題を法哲学的な考察でももっと重視すべきではないかと考えるようになりました。法哲学においては、正義とは何かという、正義の実質的内容に関する研究が中心だったわけで、もちろん、このような研究は重要です。けれども、正義を議論したり実現したりするための合理的な手続・制度の問題にもっと眼を向け、正義論の視野を拡げることによって、例えば、価値相対主義的立場の基礎にある科学や論理の見方が実践的議論や社会的制度・手続の運用の解明には不適切なものであることがわかり、また、公正な裁判手続とはどのようなものか、法的思考の合理性基準をどのように考えたらよいかといった問題にも、いろいろな示唆が得られるのではないかと思われます。このような考えは、最近、〝実践哲学の復権〟という動向と関連づけて法哲学的問題をとらえなおすようになって、一層強まってきており、目下、〝対話的合理性〟とか〝手続的正義〟などの観念を手がかりに、あれこれ考えているところです。

留学から帰ってもう十年以上経ちましたが、その後の自分の法の見方や問題関心の展開をふりかえってみますと、やはり、学生時代に法律相談活動などを通して法に関心をもち始めたこととつながっており、佐藤さんが先ほどおっしゃった、法への関心のもち方の二つのタイプのうち、私は、少し屈折した形かもしれませんが、社会的な法の見方に親近感をもっていたように思います。

Ⅲ　「福祉国家」がもたらすもの

◉時代とその悩み

田之上　今、先生方のお話をお伺いして、先生方の時代に対する認識が学問にもいろいろ影響を及ぼしていることがわかったのですけれども、私たちの場合は、その頃のように社会に対して直接の怒りとか、悲しみというか、そういうところとはちょっと離れた立場にいるような気がします。そういう私たちが法を考えたり、法に近づいたりしていくにはどのようにしたらいいか、先生方のアドバイスをいただきたいと思います。

佐藤　大変難しい質問ですね。確かに、私どもの学生時代というものは、ある種の〝激動期〟で緊迫感があったと思いますけれども、しかし、どのような時代でもその時代固有の問題があるのではないかという気もするのですが……。

今、私どもの学生時代はある種の〝激動期〟であったといいましたが、私どもよりもっと前の時代は一層の〝激動期〟だったかもしれない。何が〝激動〟で、何が〝安定〟かというと、それ自体なかなか難しい問題ですが、国内に限っていえば、たしかに「福祉国家」状況の下で比較的〝安定〟していると一応いえるかもしれませんね。しかし同時に、世の中が非常にわかりにくくなってきていることは否めないように思います。〝正義〟の問題も一層細かく複雑になって、ある種のいらだちを助長するようなところもある。そして、これは私個人の哲学かもしれませんけれども、どのような時代でも人間が生きていく限り必ず悩みがあるだろうと思うのです。その悩みはきわめて個人的なレベルのものであるかもしれないし、社会政治的なレベルと深くかかわって出てくるというものもあるかもしれない。一見きわめて個人的なレベルの悩みと思われるものも、掘り下げて考えれば、社会政治的なものとつながってくるかもしれない。皆さんが社会に対して直接の怒りとか、悲しみというようなものとちょっと離れたところにあるとすれば、むしろそれは何故だろうと反問してみたい誘惑にかられるのですが……。

田中　私も同感で、学生諸君と話したりその言動をみていたりすると、〝自分も年をとったなぁ〟と世代間ギャップを感じる機会がふえてきましたが、佐藤さん、今日は、いつもの調子で学生を問いつめるのは禁欲して、役割分担にそって話を先へ進めてくださいよ。

佐藤　じゃ少し禁欲して話を進めましょうか。ご質問に直接お答えするということではないのですが、先ほど触れた「福祉国家」の問題を考えてみることにしましょう。

人によって評価はわかれるでしょうが、今日「福祉国家」がかなり充実してきている段階と一応いえるかと思います。しかし、われわれの世代が定年をむかえて高齢者層に入る二一世紀の初頭には、いったいどうなっているでしょうか。その頃働き盛りの皆さんが圧倒的な数の高齢者層を支えていかなければいけないわけでして、皆さんにとってまさに他人事ではないはずですし、われわれの世代にとっても他人事ではありません。「福祉国家」は二十年先、三十年先にどうなっていくのか、その頃の皆さんの負担はどうなっているか、政府や家族の役割はそれぞれどのようなものとなっているか、等々さまざまな問題があるのではないでしょうか。やがて世紀の変わり目をむかえようとしている今、「福祉国家」とはそもそも何であったのか、そこにはどのような問題がひそんでいるのか、等々を全体の問題としても、また自分自身の問題としても問わざるをえない状況にあるように思います。

「福祉国家」の進展

田之上　今、「福祉国家」の問題に触れられたのですが、私も大変関心がありますので、その点ももう少し立ち入ってお話しいただけませんか。

佐藤　「福祉国家」の問題は政治学・経済学等々にまたがる大変拡がりのある大きな問題で、私にはとても手におえる事柄ではありませんが、折角のご質問ですので、憲法論の立場からみた場合の問題の一端について触れてみたいと思います。

日本国憲法には「公共の福祉」という言葉があり、また生存権・社会権といわれる権利を保障しているということは皆さんご存知の通りです。そして、この「公共の福祉」と生存権・社会権の保障と何か関係があるであろうことは直ちに理解されうるところです。実際、この「公共の福祉」は、一八世紀の人権観念とはやや異なる何ものかを示すものであるという認識は早くからあったようです。もっとも、明治憲法ではご存知のように「法律の留保」というものがあり、安易に「公共の福祉」による基本的人権の制約というように考えることは、明治憲法上の「法律の留保」と異ならなくなってしまいかねないということから、少なくとも学説上はこの「公共の福祉」に対する懐疑が根強く存在しました。そこで、大まかに申しますと、憲法の保障する基本的人権は一般に「内在的制約」にのみ服するもので、「公共の福祉」はその関係ではとくに意味のあるものではないが、ただ、憲法が保障する生存権・社会権との関係で財産権・経済的自由権が「政策的制約」を受けることがあり、「公共の福祉」がとくに意味をもつのもその関係である、というように考えられたのです。この考え方は今日にも基本的に引き継がれているのですが、当初はあまり「福祉国家」ということはいわれませんでした。欧米では、「福祉国家」は後見的な警察国家的観念と結びついてむしろマイナス・イメージが強かったのですが、あるいはわが国でもその影響を受けるところがあったのかもしれません。生存権・社会権の保障の画期的意義が説かれ、その関係で「公共の福祉」が強調されることがあっても、それは「福祉国家」論ではなかったのです。その意味で、〝国家〟ぬきの〝福祉〟論であったといってよいでしょう。

しかし、やがて改憲論において「福祉国家」論が登場してまいりました。その主張は、要するに、権利というものは結局福祉をめざすものである、国家権力はかつてのように個人の自由・権利の敵対者ではなく、むしろ個人の自由・権利の実現者・擁護者と考えるべきだというものです。そこから、日本国憲法の人権規定は個人本位で時代遅れだということになり、改憲論と結び付くのです。

それに対する憲法学の一般的な対応は、次のようなものでした。つまり、日本国憲法が一八世紀的な人権思想をベースとしているのには理由がある、それは全体主義の経験への反省に基づくものである、そうした個人の自由を確保・維持しつつ生存権・社会権の保障の現実化、つまり〝福祉〟の拡充をはかっていくというものでした。

そういう憲法学の動向とも関連して、判例も自由権についてかつてのように「公共の福祉」という言葉で簡単に片付けるというようなことをしなくなってまいりました。それを象徴するのが四一年の「全逓東京中郵事件判決」（最大判昭和四一年一〇月二六日刑集二〇巻八号九〇一頁）ですが、さらにいわゆる〝二重の基準論〟を判例もとるようになりました。すなわち、四七年の「小売商業調整特別措置法違反事件判決」（最大判昭和四七年一一月二二日刑集二六巻九号五八六頁）は、個人の経済活動の自由は、個人の精神的自由などと違って、積極的な社会経済政策実施の一手段として一定の合理的規制に服するという考え方を示したわけです。その間、昭和四二年に「朝日訴訟判決」（最大判昭和四二年五月二四日民集二一巻五号一〇四三頁）が出ていろいろ批判されましたけれども、事実としての〝福祉〟は進行してまいりました。これは、高度経済成長の反映ということになろうかと思いますが、そのことと関連して、改憲論としての「福祉国家」論とはやや違った次元で、「福祉国家」ということがしきりにいわれるようになりました。多くの政党が選挙になりますと、「福祉国家」の実現拡充ということを謳ってきたのはご存知の通りです。

◉「法の支配」や「個人の自由」との緊張関係

ところが最近「福祉国家」論に対する批判がいろいろな形で出てきています。その批判についてここで深く立ち入る余裕はありませんので、二、三触れるにとどめます。一つは、「福祉国家」の安易な追求は、行政権のますますの肥大化、議会主義の形骸化をもたらすのではないかという批判です。そういう問題認識に対応して、〝市民共和〟、〝市民自治〟によって〝福祉〟を実現していくべきだということで、〝市民運動〟の意義を力説する主張がなされたりしました。それから、西欧のいわゆる「福祉国家」そのものの〝影〟が指摘されるようになってきました。今まで「福祉国家」の理想像とされてきたスウェーデン等の国々がそれほどバラ色の状態であるわけではないというようなことが指摘されるようになりました。さらに、わが国の高度経済成長が止まり、財政状況が悪化してきたというようなこともありまして、最近では、日本独自の「福祉社会」論というようなことがいわれるようになってきています。これは、〝社会〟の自立、国民の自助の精神を強調するもののようです。

欧米でも、根強い「福祉国家」批判のあるところです。もともと「福祉国家」の言葉自体が欧米では必ずしもプラス・イメージだけではないということに先ほど言及しましたが、それはともかくとして、「福祉国家」を一貫して批判してきた代表的人物に先ほど田中さんが触れられたハイエクがあります。彼によれば、「福祉国家」というのは計画化である、計画化というのは法の支配の危機、個人の自由の喪失をもたらすというのです。かつてはハイエクの思想や理論は奇矯な時代錯誤的なものであると受けとめる向きが強かったのですが、最近ではハイエクの評価という動きもあり、彼の「福祉国家」批判にも見逃し得ないものがあるのではないかと注目されるようになってきています。欧米でのもう一つのタイプの批判として、アメリカのTh・J・ローウィ（一九三一年生れ、コーネル大学教授、村松岐夫監訳『自由主義の終焉』など）の〝利益集団自由主義〟の観点からの批判が注目されます。それは、「福祉国家」の下で巨大化した政府が各種の利益集団の分捕り合戦の場になっていて、ちゃんとした政策を進めにくい状況にあると批判したものです。

日本でも欧米でも、こういったいろいろな「福祉国家」批判があるわけですが、〝「福祉国家」よ、どこへ行く〟ということがこれからの大きな問題ではないかと思います。わが国の「福祉国家」をめぐる問題として私にとって気になる点は、個人主義的な視点の希薄さということです。臨時行政調査会などの議論にみられる「福祉社会」も、国家を伝統的な共同体に移し変えるだけに終わるかもしれない。「福祉国家」に対する批判として、公権力の肥大化・公権力への依存の増大という問題に触れましたが、公権力が〝福祉〟の要求にどこまで耐え得るのかという面とともに、管理化の進展による個人の自律性の喪失という事態を帰結しはしないかを恐れるのです。〝福祉〟が大事だということは、一面では誰も否定できないと思いますが、個人の自律性を維持しつつ、適正な〝福祉〟を実現していくということが可能なのかどうか、そのためのどういう方法があるのか、ということですね。

かつてのわが国における社会権論を〝上からの社会権論〟として総括し、それではいけないので〝下からの社会権論〟という発想でとらえる必要があるという主張も出てきていますが（中村睦男教授の主張がその代表例）、個人の自由をベースにしながら社会連帯性をどのように醸成し制度化をはかれるか、非常に大きな問題です。

◉個人の自律性の確保

松村　先生が大きな関心をおもちのプライバシーの権利の問題も、そうした「福祉国家」をめぐる問題と関係があるといえそうですね。

佐藤　ええ、そうです。田中さんが詳しくご存知の領域ですが、英米における最近の人権論の特徴として功利主義に批判的で、「自然権」論的な傾向があるのですが、そうした新しい人権論もプライバシーの権利に強い関心を示しているように思えます。

なぜそうかは興味をひく問題ですが、私には先ほど申し上げた「福祉国家」の問題状況と関連しているように思われてなりません。プライバシーは多義的で漠然とした観念ですが、その委細はともかくとして、個人の自律性の確保という課題と結び付いています。したがって、それはそう簡単にトレード・オフできるものではない。非常にシンボリックな話ですが、アメリカでプライバシーの権利への関心を醸成した背景の一つに、ミッドナイト・レイドの問題がありました。それは、不当に生活保護を受けていることがないかどうかを確かめるために、係官が深夜受給者の寝室に押し入るというものでした。ある種の功利主義的な発想からすれば、ミッドナイト・レイドも正当化されうるかもしれない。しかし、個人の自律性を守るためにはプライバシーを権利として構成して、それを功利の彼岸に立たせなければならないという発想が出てくるとすれば、十分首肯できることです。このプライバシーの権利の保護に関連して、〝情報の自由な流通〟の確保という課題に触れておかなければなりません。〝情報化社会〟という言葉がありますが、それがいびつなものにならないよう、換言すれば、

〟情報の自由な流通〟の基礎の上にプライバシーが適正に守られていく社会であるよう注意深く見定めていく必要がありましょう。先ほど「福祉国家」が公権力の肥大化をもたらすといいましたが、そういった肥大化した公権力をコントロールする手段としても〟情報の自由な流通〟をはかることに特段の配慮をしていく必要があるだろうと思います。情報公開法（条例）も、そのような課題との関連でみる必要があろうかと思います。

Ⅳ　市民社会における法

社会的次元での法の機能

田之上　次に田中先生には、もう一つの、日常的な社会的次元から法に近づき関心を深めていくというアプローチがどのようなものなのか、少し具体的にお話ししていただきたいと思います。

田中　佐藤さんは、現代における国家活動や人権保障のあり方に焦点をあわせて、主に憲法学の観点から法にどう近づき法的問題としてどのように考えるべきかについて話されたわけで、私も同じように考えるところが多く、〟私化〟傾向の強い最近の学生諸君には、このような公的な問題をもっと切実に受けとめて真剣に考えていただきたいという気がします。しかし、同時に、法や権利を、憲法や人権を中心に、しかも、いつも国家的活動と結びつけて考えるのは、法や権利の見方として少し狭いのではないかと思われますので、もう一つのアプローチの重要性について説明してみましょう。

小学校段階からかなり系統的な憲法教育がなされているせいか、憲法知識や人権意識は相当程度普及し定着しており、実にさまざまの事柄について、人権侵害だ、憲法違反だ、ということが日常的にいわれるようになっており、それはそれとして評価すべきだとは思います。しかし、市民が法や権利を考えたり意識したりするきっかけとしては、もう一つ、日常生活においていろいろな商品を買ったり金やものを貸し借りしたりするという状況があるわけですね。ところが、そういう日常的状況では人びとは法とか権利をほとんど意識しておらず、買った商品に欠陥があったとか、貸した金を返してもらえないといった、何かトラブルが生じてはじめて、法や権利を意識し法的問題としてあわてて考え始めるというのが一般的ではないでしょうか。もちろん、四六時中法や権利を意識しつつ生活する必要などありませんが、しかし、法や権利というものを、犯罪が犯されたり権利が侵害されたりして、法が破られるという非日常的な状況ではじめて意識し、しかも、裁判所によって刑罰が課せられたり損害賠償が命じられたりして、社会のいわば病理面に対処すべく国家権力が発動されるという活動とのみ結びつけて法や権利の機能を考えるのは、やはり一面的で問題だと思います。というのは、このような側面から法や権利の機能を云々しているかぎり、国家権力の行使とは切り離された次元で、しかも、社会が円滑に動いている、いわばその生理面で、市民にもっと身近かな日常生活において法や権利が果たしているさまざまの重要な役割は、視野のなかに入らず、正当な位置づけを与えられない傾向がみられるからです。

法や権利の第一次的な役割は、市民相互の自主的な相互交渉活動のための公的な枠組・指針を提供することであり、市民も、裁判所その他の公権力機関の助けを借りずに、法に自主的に準拠して、権利義務関係を相互に了解しあい、必要に応じて契約などによって新たな権利義務関係を創りだしたり既存の関係を変更したりするという形で、もっと主体的に法や権利とかかわりあっているのですね。ところが、市民が法や権利を社会的次元で主体的に用いるという側面は、これまで必ずしもそれにふさわしい位置づけが与えられていたとは思われず、わが国における法や権利の社会的定着の弱さが、ここにみられるといってよいと思います。

例えば、最近、消費者保護のあり方をめぐる議論のなかで、もっと消費者教育を重視し、その一環として、憲法と同じように、契約を結ぶ場合に注意すべき事柄とか法的なトラブルに巻き込まれたときの対処の仕方など、法的紛争の防止や解決に関する基本的知識を学校教育のなかで教えるべきだという提言もなされていますが、たしかに、こういう観点から法に近づくチャネルをもっと強化する必要があると思われます。

法というものを考える場合、すぐに公権力機関とのタテの関係における法の機能に眼を向け、身構えたり敬して遠ざけたりするのではなく、もっと自然に、市民相互のヨコの関係での法の日常的な機能を思い浮かべ、しかも、そこでの法の機能が円滑に発揮されることを法システム全体の公正な作動の必須条件としてとらえることは、福祉国家や社会権の〝影〟の側面として佐藤さんが指摘された問題状況に対処するうえでも、重要なことではないかと考えられます。

◉普遍主義型法――法の自立的な思想と論理

松村　そのあたりを、佐藤先生の先ほどの話と関連させて、もう少し説明していただけないでしょうか。

田中　公権力の肥大化、社会の中央集権的管理化、個人の自律的な生き方への圧迫など、佐藤さんの指摘されたような問題に法的に適切に対処するためには、実は、以上話したような社会的な法の見方にも相応の位置づけを与えて、法的領域のいわば裾野を拡げ、法への主体的な姿勢を強化するだけでは、まだ不十分なのです。

法の法たるゆえんは、国家の強制権力からも社会内部の秩序からも相対的に自立性を保ち、むしろ、それらに一定の規制を加えつつ、存立し作動するところにみられるのですが、このような法独特の自立的なメカニズムは、佐藤さんの憲法理論の核といってもよい、近代的な〝立憲主義〟や〝法の支配〟の理想を制度化した一連の原理や手続から構成されており、私はそれを「普遍主義型法」と名づけて、〝法的なるもの〟の核心をなすものととらえています。この普遍主義型法は、国家と市民あるいは市民相互の関係を一般的ルールによって権利義務関係として規律したり、法的紛争を公正な手続に則った対等者間の理性的な議論によって決着をつけたりするという、独自のメカニズムによって、公権力のアド・ホックな恣意的行使を規制し、市民の自律的な自己決定による各人各様の善き生き方の追求のための公的枠組を提供することをめざしております。もっとも、普遍主義型法の確立された近代社会では、国家の市民生活への法的な関与も、裁判を通じての個別的な違法行為に対する事後的な制裁や救済という形態が中心だったわけです。ですから、このような普遍主義型法の思想や論理が、現代の行政過程に比重をおいた法の機能拡大という状況のなかで、そのまま妥当しつづけることは難しいのであって、何を承継し、どこをどのように修正すべきか、修正した場合のメリット・デメリットは何かなどについて、周到な検討が必要なわけです。

ところが、わが国の場合、近代西欧法の継受による法の近代化がめざされた明治以降においても、普遍主義型法の自立的な思想や論理に固有の価値にはあまり配慮がはらわれず、法というものは国家の手によって一定の政治的・社会的・経済的等々の政策目標を確保・実現するための手段・道具だという見方が、法の運用に携わる人びとの間でも、一般の人びとの間でも、強かったわけで、立憲主義や法の支配がどの程度確立していたかは、問題があります。福祉国家とか社会的正義などの理想の実現のために、国家がサーヴィスの提供・社会計画・経済活動の規制・財の再分配などの手段・道具として法を用い、法の〝政策化〟とか〝行政化〟と呼ばれる傾向が強まっていくことにあまり抵抗がないように見受けられるのも、このような法の見方が一般的となっていることによるのではないでしょうか。

佐藤さんもおっしゃったように、わが国でも、最近、ハイエクの福祉国家批判が見直されるようになってきているわけですが、彼がなぜあれだけ法の支配のもとでの自由な社会に固執するのかということは、必ずしも十分には理解されていないように思われます。もちろん、ハイエクの法理論にも一面的なところはあるのですが、現代における自由権と社会権との関係とか行政と司法との関係などにみられる微妙な緊張状態を考える場合、無視しがたい論点を突きつけていることはたしかです。

このような普遍主義型法についての考え方と、先ほどからの話とを関連づけて、結論めいたことをいいますと、現代のような法の機能拡大が、法の社会的次元での活性化が不十分なまま推し進められるならば、市民の国家に対する受動的・受益者的姿勢が一層強まり、法も市民を管理・操作する手段・道具に転化しかねないし、また、社会の組織化・集団化が進んでいる現状では、佐藤さんが言及されたローウィが批判しているように、各種の資源配分的な法令をチャネルとして諸々の団体・集団の利害要求が行政過程を通じて汲み上げられ、議会や裁判所のコントロールが及びにくくなるのではないかという危惧の念をもっております。佐藤さんの問題提起や展望とあまり変わらないことになりましたが、折に触れてこういう観点にも立ち帰りながら法律学を学んでいただきたいということです。

第2章　国家と社会

I　現代行政国家における「法の支配」と「民主制」

●わが国における「法の支配」

松村　ただ今、佐藤先生と田中先生からそれぞれ基本的な問題点のようなものをご指摘いただきましたが、両先生に共通して問題となっていたのは、公権力の肥大化にまつわる問題であると思います。そこで、今度は行政についてのお話を伺いたいのですが、まず佐藤先生に、現代国家が「行政国家」であるといわれることの意味とその実相、そしてそれに対して法や法律学がいかに対応し、また対応すべきかという点について全般的なお話をお願いしたいと思います。

佐藤　「行政国家」の意味についてということですが、そのこと自体についてお話をするとなりますとなかなか難しいことですので、戦前から戦後にかけてのわが国における「行政」観の変移を簡単にたどりながら、今日の「行政」にかかわる問題状況の一端に触れてみたいと思います。

わが国の統治体系が行政権優位の統治体系であったということはよく指摘されてきたところです。

伝統的な〝お上意識〟というようなものを背景に、物事を国民自身の手で自治的に解決していくというよりも、国に、より具体的には「行政」に、その解決を委ねるという基本的な傾向が明治憲法下をつうじて存在してきたのではないかということです。明治憲法はドイツに範をとったといわれますが、ドイツでは、君主と議会との二元主義的な統治権力構造の下に、「行政」を所与のものとしてみる傾向があり、当時のわが国にマッチするところがあったのでしょう。それに対して、英米法的世界は、議会を「行政」の上に置く一元主義的な統治権力構造観を特徴とするといってもよいかもしれません。それはともあれ、明治憲法はドイツ的な「法治主義」の観念をとり入れ、〝法律による行政〟ということが力説されました。が、その実相は、合法性、官僚的合理主義のスタイルをとりながら恩恵的、開明的な「行政」観というような性格を備えていたと思われます。

しかし、第二次大戦後、わが国は日本国憲法を制定して英米法的な「法の支配」の原理の導入をはかりました。そして〝「行政国家」から「司法国家」へ〟というようなスローガンでその変移をとらえるということが行なわれました。それではそもそも「法の支配」とは何かですが、要するに、政府の権限を限界づける、市民を政府の圧政と恣意から保護する、そのために最終的には司法審査によって担保する、というものとしてとりあえず理解しておくことにします。

この「法の支配」の原理は、いろいろな形をとって現われております。ご存知のように、行政事件の裁判が司法権の範囲に属するといわれるのもそうですし、行政委員会制、あるいは行政手続法的な発想といった事柄もそうです。しかし、それらはどうも上滑りしているようなところがあることは否定できない感じがします。確かに、例えば、行政裁判所が廃止されて、行政事件を司法裁判所が一般的に扱うことになりました。しかし、その実態はどうか。例えば、行政行為の公定力、執行力といったように、戦前の行政法理論につらなる考え方が維持されているものも少なくありません。義務づけ訴訟は、司法権が行政権を侵すものとして許されない、などと説かれてきました。行政事件の裁判は基本的には行政事件訴訟法の定めるところによって行なわれることはご存知の通りです。戦前の「行政国家」型ではないが、さればといって英米法的な「司法国家」型でもない、わが国独特のものが出来上っているといってもよいかもしれません。それから、行政委員会制ですが、わが国の実情に合わないというようなことで衰退してきました。また、聴聞手続が個別的な法律の中で断片的に定められてきましたけれども、それが当初の期待通りの役割を果たしてきたかというと心もとないものがあります。

行政への主体的な参加

そういう状況の中で、行政機能は拡大の一途をたどってきました。いわゆる「福祉国家」現象の下に「行政」の専門性・技術性というようなことが意識され、行政裁量とか行政指導とかいったようなものが大きな比重を占めるようになってきました。

ビュルドー（高橋和之「フランス憲法学における民主政論の動向」法学志林八二巻三・四号、参照）は、民主制を、〃統治される民主制〃、〃統治する民主制〃、〃同意する民主制〃の三段階に分けて説明しています。〝統治される民主制〟とは、個人の「自由」に最高の価値を認める近代立憲主義的な民主制です。〝統治する民主制〟とは、「正義」の実現を第一義的な課題とする民主制で、一九世紀末から今世紀にかけて顕現してきたものです。〝同意する民主制〟とは、「福祉」の実現にかかわるもので、政府が「福祉」を実現してくれる限り専門性・技術性を備える政府に統治を委ねるというものです。

こうした現象に対しては、いろいろな立場からさまざまな問題意識をもって対処しようとする試みがなされてきているということも事実です。例えば、従来のわが国の行政法では、一般的にいって、行政主体を中心にいろいろな理屈を考えてきた、つまり、国民に命令・強制する局面、行政権を行使する局面に重点を置いて理論構成をはかってきた、したがって国民は受動的な存在としてとらえられていた、とみてよいと思うのです。しかし、それだけではいけないのではないか、もっと権利主体としての市民の主体的な行政とのかかわり合い方を重視すべきではないか、そういう観点から行政法体系をとらえ直す必要があるのではないか、というように考える傾向が強まっています。それは、例えば、行政手続の整備・拡充への試みにみることができます。昭和五八年十一月に、行政手続法研究会による法律案要綱（案）が発表されましたが、これなどはそうした傾向の現われといえるでしょう。いわゆる「情報公開」もそうした傾向の延長にあるといえましょう。若干流行的な面もありますが、すでに相当数の地方公共団体で制定された情報公開条例では、住民参加の推進、公正な行政の確保等々が謳われています。最近よくいわれる〝デレギュレーション〟（規制緩和）の動きもこの関係で注目してよいかと思います。それは、理念的には、国民生活の行政への依存を抑え、私人のイニシアティブをもっと重視しようとするものであるとみることができます。
ともあれ、単なる〝同意する民主制〟ということであってはならないのであって、国民の行政への主体的なかかわり合い方を確保し維持する必要があります。そのためにはさまざまな工夫が必要でしょうし、さらに、先ほどらい田中さんも強調されてきたことですが、社会的な次元を含む広い裾野で法をとらえるということも大事なのではないかという気がします。

松村 佐藤先生のただ今のお話は、戦後新しい行政観の風が吹き込んできたけれども、それが実際に行政を変えたかというと、やや上滑りのところがあり、そうこうしているうちに行政の活動領域がどんどん拡大していって、そこから民主制が単なる〝同意する民主制〟になってしまう危険が生じ、それに対していろいろなところで対応への模索が始まっているのが現状だといってよろしいでしょうか。

佐藤 はい、そういうことです。〝同意する民主制〟というのはちょっとわかりにくいかもしれませんけれども、ビュルドーの正確な主張内容や意図がどういうものであるかはともかくとして、国家が福祉をちゃんと国民に提供してくれればあまりうるさいことはいわない、その限りで国家にまかせるというういき方ですね。〝官僚的合理性〟というようなものへの信頼を基盤とすれば、そういういき方も是認されうるかもしれない。しかし、近代立憲主義的な観点からいえば、権力というのはそうたやすく信用してはならないのであって、国民自身が絶えず国家の活動のあり方に関心をもち行政過程とか政治過程に関与していかなければならないのではないか、都合の悪いときのみ関与するといってもそううまくいくものではないのではないか、と思うのです。問題は、国民が絶えず関心をもち関与していく場やメカニズムをどうやって確保していけるかだと思うのです。先ほど若干触れたような試みはその種の努力の現われといえますが、それらが果たして意図通りの成果をあげるかどうか、有効な対応方法なのかどうか、はわかりません。しかし、手をこまねいているということでは解決にならないので、いろいろな試みを続けていかなければならないのではないかと思っています。

II 行政機関による紛争解決

行政優位の伝統的法観念

田之上 それでは、田中先生に、少し違った角度から現代における行政活動についてお伺いしたいと思います。例えば、消費者紛争など、何か法的紛争が起こった場合、一般の人びとは、弁護士に相談したり裁判所に持ち出したりして司法的に解決することはあまり考えず、たいてい消費者センターなど、地方自治体の苦情相談とか警察の困りごと相談といった各種の行政機関による紛争解決に頼ろうとする、行政依存の傾向が強いように思うのですが、このような面での行政活動の拡大について、どのように考えたらよいのでしょうか。

田中 まず一般的に行政と司法との関係をどのようにみるかという問題ですが、先ほど佐藤さんが英米と大陸との違いに触れられましたが、もう一つ、西洋と東洋では、伝統的に法というものの観念のなかで司法と行政が占めている位置がかなり違っているということにも注意する必要があるのではないかと思います。

このような西洋と東洋の伝統的な法観念の違いを説明するのによく持ち出されるのが、ドイツの絶対王政のもとで、Polizeisache（警察・行政事項）とJustizsache（司法事項）とが区別され、司法事項だけが法的な問題として裁判所の管轄に属するとされ、権利義務に関する私法的問題を中心に法というものが考えられていたのに対して、東洋の律令法体制のもとでは、逆に、警察・行政事項を中心に法というものが考えられていたという対比です。律令法体制のもとでは、律と令は〝悪を懲らしめ善を勧める〟ための手段・道具であり、律が刑法、令がだいたい行政と警察に関する法令だったのです。ですから、極端にいうと、西洋では法的問題ではなく裁判所の管轄外におかれていた警察・行政的な規制が、東洋では法の中心を成していたのであり、西洋では法・司法の問題の中心にあった民事法的な事柄は、権利義務の問題としてではなく、非法的な形でインフォーマルに処理されていたか、あるいは、行政的な問題として処理されていたという、大きな違いがあったわけです。このような法観念は、日本の律令法体制でも受け継がれ、江戸幕藩体制のもとでも、法度や御触書などにその伝統の名残がみられますし、明治以降の法体制の近代化でも、行政法や刑事司法に比べて、民事司法がきわめて弱体であったことも、このような伝統的な法観念の影響があったといわれております。

田之上さんがおっしゃったように、いろいろな法的紛争の解決においても、司法的ルートによるものはきわめて少なく、地方自治体や警察の苦情相談・生活相談窓口でかなりのものが処理されているのが現状です。警察は「民事不介入」を建前にしておりますが、実際には、民事的な問題についても警察窓口で処理されているケースがかなりあります。全般的に、日常的な紛争解決とか被害救済においては、法的な権利義務の問題として、いざとなれば裁判によってでも争うという考えはあまりなくて、行政的なルートで解決や救済ができれば、それでよしとする、行政依存の傾向が非常に強いといってよいと思われます。このような傾向は、やはり、どこかで東洋の伝統的な法観念とつながっているのではないでしょうか。

◉紛争解決における行政と司法の関係

こういった状況が良いか悪いかという判断は非常に難しい問題です。法的紛争、とくに民事紛争を行政機関に依存して解決するのは良くないのだ、もっと弁護士に相談したり裁判所に持ち込んだりして司法的に解決するようにすべきだ、という意見も、強く主張されております。しかし、現実問題として、市民が法的な紛争解決や権利救済のために、必要とあらば合理的なコストで弁護士を利用したり裁判所に事件を持ち込んだりする受け容れ態勢が整っているかといえば、到底そのような状況にはなく、〝裁判所の調停にでも持ち出してみたらどうか〟という助言がせいぜい、というのが現状です。田之上さんが例に出された消費者紛争も少額紛争が多く、少額紛争は訴訟をしても採算が合わないので、今後ともこの種の少額紛争が裁判所にどんどん持ち込まれるようになることは、裁判制度の抜本的な改革でもないかぎり、あまり期待できないのではないかと思います。

それでは、どうしたらよいのか、ということですが、たしかに、現在の行政的な各種の窓口による苦情相談・紛争処理が市民の期待に応えてかなりの成果を収めていることは事実でして、利用した人びとの満足度も高いことがいろいろな調査データからうかがえます。ですから、消費者紛争・公害紛争をみても、行政がらみの民事紛争が今後ますますふえていくでしょうから、行政サービスの一環としてこの種の活動は拡充していく必要があろうかと思います。ただ、行政的窓口による解決は、結局、行政機関がもっている行政的な規制とか指導権限をバックに企業などの相手方に交渉・解決を迫るということになることが多いのですが、行政機関そのものに対する紛争とか苦情がこのようなやり方でうまく市民の満足のいく形で処理できるかどうかは大いに問題です。この点では、行政がらみの民事紛争がふえてくれば、このような限界は一層切実なものとなりますから、やはり、司法的紛争解決のルートをもっと利用しやすいように整備することが是非とも必要なわけです。

このように考えてきますと、法的な紛争解決や権利救済において行政と司法との役割分担をどのようにすべきか、市民の側からいえば、両方とも利用可能な場合に、どのような考え方でどちらを利用していくかということが、これからますます重要な問題になってくると思われます。とにかく気軽に利用できるから行政機関の窓口を利用すればよいのだ、というだけではすまないところがあります。これは、もちろん、市民の側だけではなく、裁判所の受け容れ態勢とか弁護士の活動領域の問題などの現実的な制度的問題とも関連しているわけですが、今後、法というものがわが国の市民生活のなかにどのような形で浸透し定着していくかは、行政と司法とのこのような面での関係をどのように整備していくかにかかっており、これからいろいろと難しい問題が出てくるのではないでしょうか。これは、佐藤さんが触れられた肥大する行政活動の司法的コントロールという問題と並んで、もう一つの身近かな市民生活レベルでの行政と司法との関係をめぐる重要な問題ではないかと考えられます。

松村　田中先生のお話は、日本には東洋的な法の伝統があって、日常的な紛争解決についてはは裁判ではなくて行政に依存する傾向が強いのは、この伝統とも関連しているが、ただ、それを一概に悪いと否定すべきではなく、結局、法が市民生活のなかに定着していく上で、行政による紛争解決と裁判による紛争解決との役割分担という形でこの問題を考えていく必要があるということでしょうか。

田中　ええ、そうですね。どちらも一長一短というところですから、問題・紛争のタイプによって行政機関と司法機関をうまく使い分けて利用する知恵というか、姿勢を身につけることが重要だということです。その場合、基本的には佐藤さんが〝同意する民主制〟に関して指摘されたのと同じような問題を身近かな日常的レベルで考えざるをえないわけで、そういう問題から徐々に大きな問題まで連続的に考えていくようにすれば、行政活動の肥大のプラス・マイナスも他人事ではなく自分自身の問題としてわかってくるようになるのではないかと思います。

ただ、行政的紛争解決手続の拡充ということは、裁判外の紛争解決手続の再評価という、いわゆる〝非法化(delegalization)〟傾向の一環として、欧米でも一般的にみられる現代的な動向ですので、日本の場合も、東洋の伝統的な法観念とのみ関連づけて云々するのは一面的であり、現代的な〝非法化〟傾向とも関連づけて、複眼的な視座でとらえる必要があるということをいい添えておきたいと思います。

松村　先ほどのお話の中で警察が実際には民事紛争解決にもかなり利用されているというのは教科書的な知識から言いますと意外な感じがするのですが、どういう紛争が警察に持ち込まれ、警察はそれにどのような対応をしているのでしょうか。

田中　やはり、軽犯罪法や条例違反なども含めて、刑事犯罪がらみの紛争が多いのではないでしょうか。しかし、警察も、微妙な事件については、民事紛争に介入しないように、慎重に対応しているようです。

田之上　カラオケ騒音の問題なども、直接相手に苦情をいうよりも、何とかしてほしいと警察に相談に行く場合が多いと聞いていますが、これはどうしてなのでしょうか。

田中　そうですね。その種の紛争も、警察が規制・取締りの権限をもっていることもあって、警察が関与して概してうまく解決できている場合が多いようです。法律家は警察に対してかなり警戒心をもっていますが、一般の人びとはそれほど警戒心をもっていないのではないでしょうか。私共が以前に行なった社会調査のデータなどでも、警察は、個人の自由や権利を守ってくれるものとして、裁判所や家族と並んで、トップ・グループにランクされていますからね。

松村　消費者問題や公害問題では、業者団体の自主調整によって紛争が解決されたり被害が救済されたりすることもあるようですが……。

佐藤　行政指導で自主調整に持ち込んだという例もあるようですね。

III　国家・集団・個人

●集団にかかわる紛争の増加

松村　このあたりで社会におけるさまざまの集団、団体への法的対応をめぐる問題にテーマを移していただきたいと思います。現代社会には小さな集団から巨大な集団まで無数の集団がうず巻いていて、それについては私たちが法律を勉強する場合でも無視しえない何ものかがあるように思います。この点について、佐藤先生に立憲主義の観点から、考え方の筋道のようなものを示していただきたいと思うのですが。

佐藤　近代立憲主義は、個人と国家という二つだけの極で考えてきたといってよいかと思いますが、松村さんが触れられたように、今日のわれわれの日常生活は実に多くの集団にとり囲まれており、そうした集団ぬきにわれわれの生活は考えられない状況ですね。

最近、集団対個人の関係にかかわる紛争が目につくようになってきているように思います。集団対個人の紛争という場合、集団対集団外に立つ個人、集団対集団の中の個人、という二種類の紛争があるわけですが、ここで問題としたいのは後者のそれです。憲法の教科書等でおなじみの事件ですが、本採用を拒否された者が思想・良心の自由を主張して会社と争った「三菱樹脂事件」、政治献金をめぐって株主が会社側と争った「八幡製鉄政治献金事件」等がありますね。そのほかにも、組合員が立候補の自由や選挙活動の自由を主張して労働組合と争った例、会社の従業員が性差別を主張して会社と争った例等々があり、また、宗教団体内部の紛争や政党内部の紛争が裁判所に持ち込まれた例も少なくありませんね。これらは集団内部の紛争の氷山の一角にすぎないのではないかとさえ推測されるのです。それは、一面では、我々がいかに社会の組織化・集団化の波に洗われているかということを示すとともに、他面では、そうした組織化・集団化の波に抵抗しようとする個人の側での意識というものを示しているのではないかと思います。

われわれは、集団そのものをどのように評価し、それぞれの集団のもっているきまりをどのように法的に受け止めて、集団の構成員をどのような場合にどのような方法で保護すべきか、という課題に直面しているということになりましょう。

●「部分社会」に対する評価の変移

まず、われわれは、もはや近代国家のような割り切り方をできない状況にあることから出発しなければなりません。近代国家はいわゆる〝部分社会〟に否定的であって、権力といえば公権力、法といえば、国家法、主権者の命令というような割り切り方をしていました。それは、一面では、中世社会の集団のしがらみから個人を解放するという意義を担っていたのですが、他面では、個人が直接に国家権力と対峙しなければならないということを意味していたわけです。そこで、近代立憲主義は、個人を自然権の担い手としてとらえ、それによって個人を国家権力から守るといういき方をとったといえます。

しかし、一九世紀に入りますと、自然権論は衰退し、功利主義に道を譲っていくことになりました。やや図式的な理解の仕方をすれば、そのことは個人をして国家権力に対してきわめて弱い立場に立たせることを意味します。一九世紀末から今世紀初頭にかけての社会の組織化・集団化は、いわば自然権をはぎ取られた個人を公権力から守ろうとするものであったと理解することもできるのではないかという気さえします。

この観点は、現在にも引き継がれてきているといってよいでしょう。ほとんどの憲法が結社の自由を保障しています。しかし他面、全体主義の経験をふまえて、社会の組織化・集団化は個人の守護という方向にばかり働くとは限らない、そうした集団から個人を守る手段も講じなければならないということが強く意識されるようになってきました。いわゆる人権の私人間効力という問題は、そういう課題への対応の現われとみることができます。私の印象ですが、従来、人権の私人間効力の問題は、個人の人権と私的自治との関係如何といった一般的なレベルで説かれる傾向があったように思います。しかし、問題は多くの場合、集団との関係で生ずるのです。集団のもっているきまりといったものを結社の自由との関連で評価しながら、もう少しきめ細かにそのへんを検討する必要があるのではないかと思っています。

松村　佐藤先生は、最近、いわゆる〝部分社会〟の問題に大変関心をおもちのようですが、それは今話されたような問題意識の一つの現われと理解してよいのでしょうか。

佐藤　ええ，そうですね。〝国家的な法の見方〟に徹するならば別ですが，〝社会的な法の見方〟も考慮にいれると，そのような集団のきまりを法的にどう評価するかという一般的な法理学上の問題が生じます。盗賊団，暴力団にも法があるというのは極端だとしても，そういう集団のきまりをどう考えるかという法理論・法本質論上の問題です。ただ，そうした法理論・法本質論上の法のとらえ方と，法実践面での具体的な処理の仕方とを区別して考える必要があることを強調しておきたいと思います。つまり，法本質論として〝部分社会にも法がある〟といっても，そのことだけでは具体的な集団をめぐる紛争を解決する鍵にはならないということです。

一口に集団といっても，政党，会社，労働組合，宗教団体，学術団体，社交クラブ等々といったようなさまざまなものがあります。これらの集団のさまざまなきまりを法理論上一律に「法」というようにとらえるとしても，具体的な紛争の場においてそのようなきまりにどのような法的意義を認めるか，果たして紛争解決の基準となしうるかということになりますと，集団の目的・性格，紛争の性質あるいは紛争の根深さといったようなものによっていろいろ変わってくるのではないかと思います。この点は具体的な事例にそくして話しませんとわかりにくいかもしれませんが，法本質論として〝部分社会にも法がある〟ということができるとしても，実定法秩序におけるその「法」の扱い方は決して一義的ではないということに注意していただきたいと思います。

松村　今の佐藤先生のお話は，諸々のしがらみに縛られていた個人を近代立憲主義が解放し，その点で近代立憲主義は部分社会といったものに消極的であったけれども，しだいに公権力に対する個人の防御のための部分社会といったものの必要性が生じ、それが現在に至っては部分社会自体が個人に対して対立する権力的な存在としての性質をもつに至って、集団と集団のメンバーの関係をどのように解決するかということが大きな問題となっているということですね。

佐藤　ええ、そうですね。一言だけつけ加えれば、先ほど公権力に対抗するための集団の意義という面を強調しましたが、人間の本性として集団を作りあるいは集団に参加してその中でいろいろ自分を活かしていきたいという面ももちろんありますね。集団を作りあるいは参加するということは、人間の生き方そのものなのかもしれません。その意味では、近代立憲主義は、人間について単純に割り切りすぎていたといえるでしょう。

Ⅳ　法とは何か

●盗賊団にも「法」がある？

松村　先ほどの佐藤先生のお話のなかで、盗賊団にも法があるというようなことが、法本質論では議論されているということに触れられましたが、そのあたりを、田中先生、法哲学的な観点から少し説明していただけないでしょうか。

田中　盗賊団にも法があるという見解は、元最高裁長官で法哲学者でもあられた田中耕太郎博士などが実際に説かれていたもので、博士は、「法の範囲は国家的法以外に、国内の諸社会……に拡散される。……またその社会は単に正当なものに限らず……不道徳なものでも差し支えなく、例えば、ある盗賊団中における贓品分配の規則なども、その社会における法の一種と認めることができる」（『法律学概論』二二頁）というような説明をしておられます。ただ、田中博士も――これは佐藤さんが書かれていることですが――、判決では、部分社会にも法があるという立場に立ちつつも、具体例としては、社交団体やスポーツ団体をあげておられて、盗賊団まではあげておられないそうです。佐藤さんがそこでおっしゃっていることですが、「判例が暴力団や盗賊団にも『法』ありといえば、国民一般のみならず、当の暴力団や盗賊団自体が驚くかもしれない」というのが、一般的な受けとめ方ではないでしょうか。お二人はどうですか、盗賊団にも法があると思いますか。

松村　私は思いません。〝きまり〟はあると思いますが、それを法と呼ぶべきかどうかというのは疑問に感じています。

田之上　私も、法だと思いますかときかれると、ちょっと……。

田中　盗賊団の規則というのは、佐藤さんもおっしゃったように、極端すぎてあまり問題にならないかもしれませんが、例えば大学の自治規則となると、盗賊団の規則とは社会的な評価もかなり違うわけですが、大学の自治規則はどう思いますか。

松村　これも法ではないという感じがしますが、それは今まで法学部で法として学んでいるものが国家の制定法であり、法といえば国家の法だという意識が強いからだと思います。

田中　法か否かを問題にする関心・状況とか、法の定義・概念規定ということに触れずに、いきなりこういう質問をするのは、あまり適切でなかったかもしれません。佐藤さんがおっしゃったように、法とは何かを考えるときには、法哲学的あるいは法社会学的な理論的分析枠組と、裁判による法的紛争解決において正統な公的規準として用いることができるかどうかという法実務的な問題とを一応分けて考える必要があるわけです。けれども、やはり、いろいろと考え方のうえでつながりあっているところもあるのですね。裁判の場でも、同じ部分社会の法であっても、盗賊団の掟がこうだからという理由づけは問題外でしょうが、大学の自治法規がこうだからという理由づけは、法的議論として無視しがたいウエイトをもっております。もっとも、だからといって法だと一概にいえるかどうかについては、他の要件も検討しなければならないのですが……。

その他にも、慣習法の問題とか、労働協約や会社の定款、約款など、国家法の系列以外の〝自治法規〟の法源性という問題もあり、松村君のように、〝国家の制定法でないから、法ではない〟といえるかどうかは問題なのですね。ただ、部分社会の法が裁判で尊重されるからといって法あるいは法源と呼ぶ必要があるかどうか、これはまた別問題であって、議論がかなり錯綜しているので、佐藤さんに具体的事例にそくして説明していただいた後で、必要があればまた触れることにして、まず、一般的な法理論的な議論をざっと説明しておきたいと思います。

「法の国家化」と法源理論

先ほどの佐藤さんの説明と重なりあうところが多いのですが、近代統一国家が成立する以前では、いろいろな部分社会が各々独自の法をもっているというのがむしろあたり前だったわけです。ところが、近代国家が整備されてくるにつれて、法を作ったり運用したりする権限が次第にすべて国家的機関に独占されるようになり、いわゆる〝法の国家化〟が進み、法というものは、社会内部で自主的に生成するものではなく、国家権力によって目的意識的に定立され国家機関によって運用されるものだという、国家的な法の考え方が一般的となり、法理論としても、ホッブズ、ベンサム、オースティンらのように、法を主権者の一般的命令ととらえる見解が有力になってきます。

このようにして、社会内部の各種の伝統的秩序・規範を全て〝私的〟なものとして〝非政治化〟することは、個人を従来の地縁的・血縁的な拘束から解放し個人のイニシアティブによる自由な活動の余地を拡げようという自由主義的な考え方にも基づいていたのですが、同時に、法の制定・運用を独占することには絶対主義的な色彩もあり、この点については自由主義者の反発があったわけです。また、社会レベルでの人びとの日常的な相互関係や行動は、国家法の内容とは無関係に、従来からの慣習的な秩序・規範によって規制されており、国家法の支配が社会レベルにまで十分に及んでいたわけでもありませんでした。

ですから、裁判が国家制定法に厳格に拘束されることを要請し、従来の部分社会の自主的な法については、法的効力を全面的に否認したり、ごく限られた範囲で慣習法として補充的な効力しか認めないという、国家制定法至上主義的な法源理論に対しては、ドイツなどでは、リベラルな法律家たちが終始抵抗し反対を唱えていました。とくに、中世ゲルマンの〝自由〟、〝良き古き法〟の観念を強調するゲルマニステンに、法源として慣習法を重視する者が多く、慣習法をめぐる論争は、政治的なイデオロギー抗争ともからみあっていました。このゲルマニステンの流れのなかから、一九世紀末から今世紀初頭にかけて、〝団体法〟の観念で知られるギールケとか、〝生ける法〟の概念を提唱したエールリッヒなどが出てくるわけで、社会的な団体・集団の見直しという、先ほど佐藤さんの指摘された問題関心とも重なりあっております。

「法多元主義」と「国家法一元主義」

田之上　そのエールリッヒの〝生ける法〟という概念は、法律学を勉強していると、いろいろな機会に聴いたり読んだりするのですが、どのような主張なのでしょうか。また、現在、どのように評価されているのでしょうか。

田中　ごく大雑把な説明しかできませんが、エールリッヒ（一八六二—一九二二、河上倫逸＝M・フーブリヒト『法社会学の基礎理論』など）のいう〝生ける法〟とは、現実に社会を秩序づけ人びとの行為を規律している「社会の内部秩序」のことであり、彼は、この生ける法を、裁判所や行政機関の決定の根拠となり法律学が対象とする、法曹法や国家法などの法規と区別すべきことを強調しております。そして、生ける法を研究対象とする新しい法の科学として「法社会学」を基礎づけるという理論的なねらいと同時に、裁判官を厳格に国家制定法に拘束することによって国家命令を遂行する官僚にしてしまっていた当時の概念法学的な裁判観を批判し、裁判官が、生ける法の一般化・統一化と社会の支配的な正義の考え方に基づく独自の裁判規範の発見によって、法曹法を創造し、衡平な裁判をめざすべきだという「自由法運動」を推進する実践的なねらいももっていました。

概念法学的な裁判批判のほうは、現在では、かなり広い支持を得ているとみてよいと思われますが、社会的な法の見方のほうは、彼の生ける法の説明自体に不明瞭なところもあり、やはり、国家的な法の見方に対するアンチテーゼ以上の位置は占めていないのではないでしょうか。法律学や法哲学においては、H・ケルゼン（一八八一―一九七二、横田喜三郎訳『純粋法学』、清宮四郎訳『一般国家学』など）の「法段階説」などに代表されるように、憲法を頂点とし、その具体化としての法律・命令を経て、個別化された法規範としての判決や行政行為へと至る、ピラミッド型の段階的構造をもったものとして実定法体系をとらえる、国家法一元主義が支配的だろうと思われます。

しかし、このような支配的な法の見方に対しては、フラー先生のように、このような立法→裁判という流れを基軸とする垂直的・単線的な見方が狭すぎると批判して、人間の相互作用的活動を基盤とする水平的・複線的な法の見方を提唱し、裁判についても、調停や仲裁などの準司法的方式、契約や慣習に基づく法形成方式と連続的なものとして位置づける「法多元主義」の立場もあります。

私自身は、国家的な見方が支配的なので、多少誇張気味に社会的な見方の現代的意義を普段から強調しておりますが、けっして国家的な見方を全面的に否定するものではなく、その偏りを是正することをねらっているだけです。例えば、佐藤さんが〝現代国家における司法〟という形で問題設定されるのに対して、私が〝現代社会における裁判〟という形に固執しているのも、このような問題関心によるもので、詳しいことは、後ほどあらためて触れることにしたいと思います。

以上のような二つの法の見方にみられる法理論的対立は、部分社会の法的紛争に裁判所がどう対応すべきかという法実務的問題ともいろいろと関連してはおりますが、法の見方についてどのような立場をとるにせよ、そこから論理必然的に一定の結論が導き出されるわけではなく、両者を短絡的に結びつけるのは、法理論的考察にとっても法実務的問題解決にとっても、お互いに議論を硬直化・単純化させるだけで、あまりプラスにはならないと思います。この点は、佐藤さんの強調されるところでもありますので、一般的な話はこれくらいにして、佐藤さんに具体的事例にそくして話をしていただいたらどうでしょうか。

V　団体内部の紛争と裁判所

◉「部分社会」の問題——結社の自由

松村　一口に法といっても、用いられる意味はさまざまであって、いろいろなレベルで問題になるので、それを区別することが重要だということを佐藤先生も田中先生も強調されたわけですが、法実務的なレベルで、〝部分社会〟の法的紛争に裁判所がどのように対応すべきかについて、佐藤先生に憲法学の観点からわかりやすく説明していただきたいと思います。

佐藤　わかりやすくということですが、なかなか難しい課題です。〝部分社会〟を憲法にひきよせてとらえますと、多くは憲法二一条が保障している結社の自由の「結社」ということになろうかと思います。ただ、いわゆる〝部分社会〟の中には、二一条にいう「結社」としてとらええないようなものもあります。例えば、大きい方でいいますと、人種集団や民族集団、アメリカを例にとればインディアン部族といったものは、憲法二一条でいうような「結社」といっていいのかどうか、他方、小さい方では、家族などは果たして「結社」といえるかどうか。家族などはそもそも〝部分社会〟ととらえるべきかどうか——田中耕太郎先生や美濃部先生などは〝部分社会〟ととらえられておりますが——の問題もありますが、仮に〝部分社会〟だとして、それらは果たして憲法二一条にいう「結社」というべきか否か。「結社」というのは任意的なものだとすると、家族などはそうとはいいかねるところがある。ここでは一応憲法二一条でいう「結社」に属する〝部分社会〟ということを前提に説明することにします。

さて、二一条の「結社の自由」にはいろいろな側面がありますが、団体自体の自由、団体の自治といったものが含まれていると通常説かれてきています。したがって、公権力——それにはもちろん裁判権力も入りますが——によるそれへの介入は原則として許されないという構造になります。ただ、そのような自由も内在的な制約に服するということは否定できません。もっとも、厳密にいえば、経済活動を目的とする団体、例えば会社などについては、内在的制約だけではなくて、政策的制約の余地も考えられるかもしれません。

ところで、団体は、その成員に対して団体の活動への参加を求めたり、教育的活動をやったり、団体の規律の遵守を求めたり、さまざまな活動をしているわけですが、ときには成員に対して制裁を課したり、場合によっては除名というような措置をとることもある。そうした団体の措置を不服として成員が裁判所に争いを持ち込んだ場合、裁判所としてどうすべきなのかという問題が生ずるわけです。その点について、結社の自由を重視する立場から、裁判所は一切介入すべきではないという考え方もありうるかと思いますが、それは先ほど申したような理由から妥当ではないと思います。むしろ、結社活動に対する内在的制約の一環として、およそ団体の成員に対する措置は公正な手続によるものでなければならないと考え、そういう観点から裁判所が紛争に介入することはありうると考えるべきでしょう。

ただ、そうだとしても、団体の自律権尊重の趣旨から、裁判所は、その措置が団体自体の定める手続規則に従ってなされたか否かに原則として審査を限定しなければならないと思います。そういう手続規則が存在していないか、存在していても大変公正さを欠くというような場合に限って、裁判所は一定の公正な手続を集団に課して、措置の適正さを判断するということになろうかと思います。ただ、その場合、具体的に何が公正な手続なのかということがまた大変難しい問題で、結社の目的・性格・機能といったものによっていろいろ違ってこざるをえない。ルーズな集団の場合にはルーズな手続でいいでしょうし、フォーマルな集団——例えば、弁護士会——では、厳格な手続が要請されるということになりましょう。

◉宗教団体の内部的紛争

松村　最近とくに宗教団体の内部的紛争が裁判所に持ち込まれる事例が急増しているようで、ある宗派については、現在、一〇〇件以上の訴訟が繋属しているという話をきいているのですが、それらのうちの代表的な事例をあげて少し具体的に立ち入って説明していただけないでしょうか。

佐藤　おっしゃる通り宗教団体の内部的紛争が多発しており、最高裁判所のいくつかの興味深い判決がでています。

最高裁判所の考え方は、寺院の住職というような「宗教上の地位」をめぐる紛争は司法審査の対象とはならないが、他に具体的な権利または法律関係をめぐる紛争があって、その当否を判定する前提問題として特定人について住職たる地位の存否を判断する必要がある場合には、「その判断の内容が宗教上の教義の解釈にわたるもの」でない限り、その地位の存否、すなわち選任ないし罷免の適否について裁判所は審査権を有するということ（「種徳寺事件」に関する最判昭和五五年一月一一日民集三四巻一号一頁）、「宗教上の地位」にある者が該宗教法人の規則上当然に代表役員等に就任するとされている場合、代表役員等であるかどうかを審理判断する前提として、「宗教上の地位」を有するかどうかを判断することも、「宗教活動上の自由ないし自治に対する介入にわたらない限り」許されるということです（「本門寺事件」に関する最判昭和五五年四月一〇日判タ四一九号八〇頁）。

宗教団体内部の紛争のもう一つのタイプとして注目されるものに、いわゆる「創価学会板まんだら(本尊)訴訟」があります。本件は、創価学会の本尊を安置する正本堂建立費用にあてることを目的とした寄附金につき、本尊が偽物であること、学会は募金時にあたり正本堂は「事の戒壇」となると称していたが、後になって「広宣流布達成」の時は到達していないと言明したこと、を理由に、「要素の錯誤」があったとして、寄附金の返還を求めて訴えたものです。最高裁判所は、裁判所が「その固有の権限に基づいて審理することのできる対象」は、裁判所法三条にいう「法律上の争訟」、すなわち、(1)「当事者間の具体的な権利義務ないし法律関係の存否に関する紛争」であって、かつ、(2)「それが法令の適用により終局的に解決することができるものに限られる」と述べ、訴訟が具体的な権利義務ないし法律関係に関する紛争の形式をとっているものであっても、その請求の当否を決するについての前提問題として信仰の対象の価値ないし宗教上の教義に関する判断が必要不可欠のものと認められ、また、訴訟の争点および当事者の主張立証もかかる判断に関するものがその核心となっているいると認められる場合には、その訴訟は実質において法令の適用による終局的な解決が不可能なものであって、裁判所法三条にいう「法律上の争訟」にあたらないとしました(最判昭和五六年四月七日民集三五巻三号四四三頁)。

●「二段階審理モデル」

こうした判例から窺われるところは、団体内部の紛争に関する裁判所の判断は二つの関門を通して行なわれるということです。一つの関門は、紛争がそもそも「法律上の争訟」といえるものかどうかということです。この点について、判例はしばしば一般市民法秩序に連なる紛争かどうかといった形で表現しています。例えば、住職を任命権者から罷免された者が寺に居住し続けるというような場合に、寺側が本堂等の引き渡しを求めて争うというのは、まさに一般市民法秩序にかかわる紛争といえるということです。ただ、具体的な権利義務ないし法律関係に関する紛争の形をとっても、その前提問題として信仰の対象の価値または宗教上の教義に関する判断が必要不可欠で、そのような判断に関するものが紛争の核心になっている場合には、実質上法令の適用による終局的解決の不可能なものとして結局「法律上の争訟」にあたらないというのが判例のいわんとするところでしょう。ともあれ、この第一関門をパスした場合に、第二関門として、どのような団体の自律的決定がなされたか、その決定は団体の有する手続に従って適正になされたか、処分の内容と処分事由との間に著しく不均衡はないか、等々が問われることになります。

判例にみられるこうした判断枠組（新堂幸司教授によれば、「二段階審理モデル」）は、裁判所として必要な場合には紛争の解決にのり出すけれども、できるだけ団体の自治を尊重していきたいという姿勢を示すものといえましょう。したがって、裁判所の介入も、紛争の根深さとか深刻さ、紛争の拡がりとか一般への影響、紛争の形態等々によって決まってくるところがあるということになりましょう。

いずれにしても、先ほどいいましたように、法本質論としての〝部分社会論〟と、法実践論としての〝部分社会論〟とは区別して考えないといけないということであって、裁判というような法実践のレベルでは、宗教団体か政党か労働組合かというような区別、新堂教授の言葉を借りれば「処分抗争型」か「処分貫徹型」かというような区別、あるいはその紛争を解決せずに放っておいた場合の一般市民への影響如何、等々のいろいろな要素を考慮して具体的に決めざるをえないということだろうと思います。

松村　そうすると、裁判所がある訴えを適法とみて中に取り込むか、それとも不適法としてお帰り願うかというのは、団体の性質、処分ないし問題の性質、当事者が訴訟を提起した真のねらいとか争い方等々の状況によって影響をうけるということですね。

佐藤　ええ、結局そういうことだろうと思いますね。とくに宗教団体の場合ですと、政教分離原則との関連から裁判所として慎重になってくるところがあるのではないでしょうか。

田中　部分社会の問題は、これからますます重要になっていくと思われますが、少し深入りしすぎたような観もありますので、このあたりで、テーマを次に移しましょうか。

第3章　権利と人権

Ⅰ　権利論の展開

◉法律学的権利論と人権

松村　それでは、権利と人権をめぐる問題に移ることにしまして、このような問題を勉強する際に基本となるような事柄について、まず、田中先生に一般的なお話を伺いたいと思います。

田中　人権をめぐる法律学的議論においても、法的権利一般についての考え方がその前提となっているのですが、一口に法的権利といっても、多種多様なものがあります。一般に法律学的議論において権利について議論される場合、私法上の権利、しかも、誰かの権利が誰かの義務と相関的な関係にある私権を典型的な権利と考えて、権利が侵害された場合に、裁判による司法的救済が可能か否かというレベルに焦点をあわせて議論されてきております。そして、このように司法的救済の可否やその内容ということに主な関心が向けられることから、逆に、裁判によって救済できない利益や主張は、そもそも法的権利とはいえないというような考え方が強く、人びとの日常的な相互交渉や利害調整を規制している実体的な「第一次的権利義務関係」は、その侵害があった場合に裁判所に救済を求め国家の法的強制装置の発動を求める手続的な「回復的権利」によって裏付けられていない限り、その法的性格は否定されることが多かったわけです。

近代の法律学的権利論は、相関的な権利義務関係にみられるこのような考え方を、私法上の権利だけでなく、公法上の権利についても、できるだけ妥当させる方向で展開されてきたのですが、実際には、すべての権利と義務について明確な相関関係がみられるわけではなく、権利や義務といわれている法的関係のなかには、相関的な権利義務関係とかなり異なっているものも多いのです。そこで、法律学的権利論においても、一般に権利概念を用いて説明されている法的関係には、義務と相関関係にある「狭義の権利ないし請求権」の他に、「自由」、「権能」、「免除」などがあるという形で権利の分類が進み、このような分類枠組のなかでは、人権は、他人から一定の義務を課せられないことに対する法的保障を意味する免除権の一種、あるいは、一定の義務がないことを意味する自由のうち、基本的で重要なものといった位置づけが与えられ、法的権利とはいわば別格扱いをされていたわけです。そして、このような法的位置づけを与えられていたのは、伝統的な自由権だけで、社会権については、〝プログラム規定〟という考え方などに典型的にみられますように、司法的救済どころか、そもそも法的な権利義務の問題ですらないというような考え方もあったのです。

ところが、人権の実定法的保障が拡充され、人権のカタログのなかに、自由権だけでなく社会権も含まれるようになり、また、私人間における人権の効力ということも問題になるようになったこととか、とくに最近では、一般の人びともむしろ人権感覚を基礎に法的権利を考えるようになり、英米の法哲学的権利論においても、例えばＲ・ドゥオーキン（一九三一年生まれ、オックスフォード大学教授兼ニューヨーク大学教授、木下毅他訳『権利論』など）のように、「平等な配慮と尊重を求める権利」という個人の基本的権利の観念を基底にすえて各種の法的権利の保護・救済の問題を考えていこうとする傾向が有力になっていることなどもあって、全般的に、伝統的な法律学的権利論の延長線上でのみ人権の法的性格やその保護・救済のあり方を考えることに対する反省もなされるようになってきている観があります。とくに、このあたりは後で佐藤さんに詳しく説明していただけることと思いますが、人権の法的保護方式自体が社会権などを中心に多様化し複雑化してくるにつれて、その裁判による司法的救済のあり方も伝統的な私権だけをモデルに議論しているわけにはいかなくなってきております。さらに、そもそも人権を憲法によって保障することは、必ずしも裁判による救済と結びついていなくとも、立法・行政過程や社会生活において十分意義があるわけで、人権をめぐる議論をあまり司法的救済のレベルだけで議論するのはどうかということも問題になってきており、裁判外での人権や権利の規範的機能にも眼が向けられるようになってきております。

このようにして、人権をめぐる法律学的議論が活発になってくるにつれて、従来の法律学的権利論の限界や再構成ということに対する関心が一段と高まってきているというのが、最近の一般的な問題状況ではないでしょうか。

◎日本人の権利意識

田之上　今、法律学内部での権利・人権の考え方やその最近の議論の動向をお話しいただいたのですが、このような議論は、一般の人びとの権利意識の状況とどのように関連しているのでしょうか。とくに日本人の権利意識は欧米人とは違っているとか、日本人の権利意識も、私たち若い世代を中心に高まってきているということをよく耳にするのですが、このあたりはどうなのでしょうか。

田中　たしかに、日本人の権利意識について、もともと権利意識が弱かった、あるいは権利観念が希薄であったものが、最近、高まってきたとか、強くなってきたといわれていますけれども、何を基準に高まってきたとか強くなってきたと判断するのかということ自体が問題なのですね。

人びとが憲法その他の法によって保護されている権利を以前よりも積極的に主張するようになり、日常生活における種々雑多な利益や要求を権利として主張するようになってきていることは事実でして、このような事実に照らして、だから日本人の権利意識が高くなってきたといおうと思えばいえるわけです。しかし、行政機関や裁判所などに対して権利の保護・救済や実現がよく求められるわりには、共通の法的規準に基づいて社会レベルでお互いに他人の同様な権利主張を承認しあいつつ自主的に権利義務観念によって社会関係を規制したり利害調整を行なうという意識はそれほど定着しておらず、この点では、やはり、日本人の権利意識はあまり変わっていないのではないかともいえるわけです。

また、積極化したといわれる権利主張の内容にも問題があり、法律学的議論では単なる私法上の権利侵害として論じれば十分な問題でも、まず、人権侵害だと意識されることが多く、私権ですらそれ自体として自覚され主張されるよりも、人権と不可分一体のものとしてとらえられがちです。しかも、その人権意識においては、自由権と社会権がほとんど同一次元のものとして混然ととらえられているだけでなく、日常生活に密着したさまざまの利益や要求をともかく公権力機関の力を借りてでも確保し実現しようとする、独特の生存権感覚がその基層を成しているように思われます。そこでは、個人

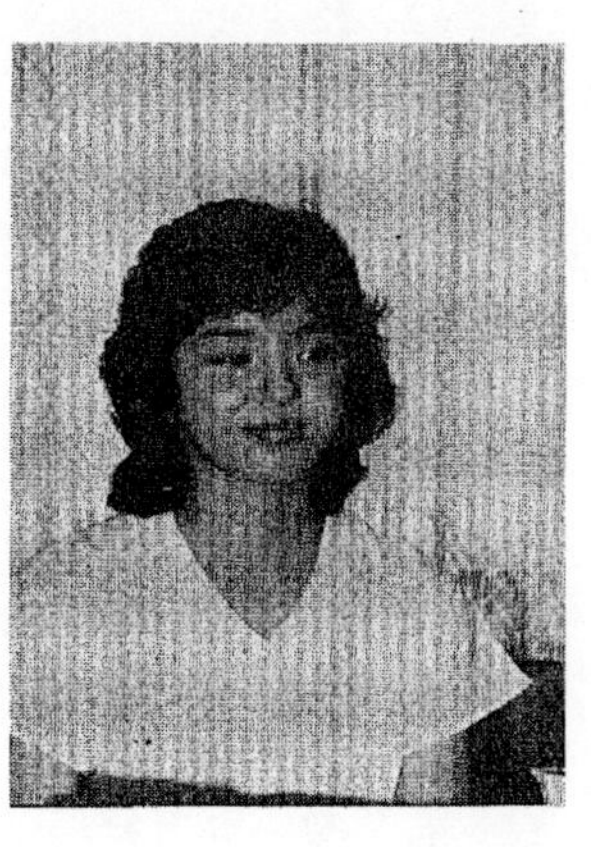

的安全の権利をはじめ、人間が人間として生きる権利という、一八世紀的な自然権的人権と、健康で文化的な生活のために公権力機関の積極的な配慮を請求するという、二〇世紀的な社会権的人権とが原理的に区別されず、一体となって含まれているようです。

このような権利主張や人権意識の実態は、環境権をはじめ、生活環境の保全や整備に関する諸々の〝新しい権利〟が、ほとんど人権として主張され、しかも、その多くについて、幸福追求権に関する憲法一三条と、生存権に関する二五条とがいっしょに根拠条文としてあげられていることとも関連しており、おそらく一般の人びとの権利観念からすれば、このような新しい権利の主張形態は、あまり抵抗なしに受け容れられているのではないかと思われます。

●人権中心の権利観念

田之上　そのような人権中心の権利観念が一般の人びとの間に浸透していることは、一般にどのように評価されているのでしょうか。また、法律学の観点からどう対応したらよいのでしょうか。

田中　いやぁ、それはなかなか難しいところです。法律学的な対応の仕方については、後ほど佐藤さんに説明していただくことにして、一般的にどう評価されているかだけについてみてみますと、事態が流動的なところもあって評価しにくいのですが、批判され是正されるべき面もあれば、肯定的に受けとめ積極的に対処すべき面もあるというのが実情ではないでしょうか。

私自身がかねがね最も問題だと考えているのは、権利の実現だけでなく、対立する権利主張の調整については、全般的に、行政機関や裁判所などの公権力機関に依存するという受動的な受益者的姿勢が強く、相互調整のルールをできるだけ社会レベルで自分たちの手で自主的に形成し維持していこうとする主体的姿勢が弱いということです。このように、市民相互の利益と負担の自主的調整のための概念装置として法的権利義務観念があまり広く用いられず、また、権利主張に対して〝利己的すぎる〟とか〝物とり主義だ〟といった批判が強くみられるのは、やはり、先ほど話したような生存権感覚を基礎とする人権中心の権利観念の浸透ということと深く結びついていると思われます。

また、その独特の生存権感覚をはじめ、人権・権利主張全般について、国家の干渉を排した市民の自律的自己決定と、国家による市民生活への配慮・介入との原理的緊張関係があまり自覚されておらず、自律的な生活よりも安全で快適な生活、自由よりも平等への関心や要求が強いことも、問題だと考えておりますが、この点は佐藤さんがこれまでもたびたび指摘されており、後でも触れられると思いますので、指摘するだけにとどめておきます。

こういった問題があるにせよ、このような人権中心の権利観念が人びとの間に浸透しており、それを背景に諸々の新しい権利・人権が次々と提唱されていることは、否定しがたい現実であり、法律学もそれに眼を閉ざし続けるわけにはいかず、なんらかの対応を迫られているわけです。私自身は、こういった〝権利の拡散〟とか〝権利の氾濫〟といわれている状況は、いろいろマイナス面もありますが、とかく閉鎖的で保守的になりがちな法律学の専門的な議論に対して、私権中心の権利概念や司法的救済の論理、伝統的な自由権と社会権との原理的区別などの再検討を迫り、法律学的議論の市民的基盤に眼を向けさせたことでは、文化的・思想的に画期的な意義をもっているのではないかと考えております。

また、諸々の〝新しい権利〟が人権として次々と主張されるようになったことも、従来、とかく社会全体の利益や公的な政策目標の実現のために個人的・私的な利益や要求は受忍して当然だという功利主義的風潮が強かったことを考えてみますと、多少の行き過ぎはあっても――もちろん、裁判所や法律学者がいろいろと苦労されていることはよくわかりますが、少し距離をおいた法哲学的な観点からみますと――、市民の人間らしい生活にとって不可欠な一定のミニマムの利益や要求には、多数決原理や社会的功用原理に服しない優先的地位が承認されて然るべきだとみる、自然権的な人権感覚を定着させるのに、かなり役だっており、この点は正当に評価されて然るべきだろうと思います。

松村　つまり、従来の私権中心の権利論においては、権利の有無が裁判による司法的救済が与えられるかどうかという点で判断されていたけれども、そのような考え方だけでは最近の人権をめぐる問題には対応できないところがあるということと、日本人の権利意識においては、権利や人権についての考え方に混乱といいますか、法律学の従来の議論枠組と一致しないところがあって、そのような状況に、法律学がどのように対応すべきかということが問題になっているということでしょうか。

田中　要約すれば、そういうことでしょうね。ただ、一般の人びとの権利や人権の観念に混乱があるといえるかどうかは問題で、むしろ、そのような権利・人権観念のほうが現代福祉国家のもとでの法体系に適合していると考えることができないわけではなく、従来の法律学の論理のほうが修正されるべきだという面もあるかもしれません。いずれにせよ、法律学の従来の論理と最近の権利・人権観念との間にはずれがあって、それが、〝新しい権利〟の提唱とか、〝現代型訴訟〟の増加などという、最近の法現象のなかに象徴的な形で現われているのではないかと思います。そういった問題は、人権とか憲法訴訟をめぐる法律学的議論のなかにも現われてきているので、このあたりで佐藤さんに説明をひきとっていただいてはどうでしょうか。

Ⅱ　憲法と〝新しい人権〟

不明確になりつつある人権観念

田之上　七〇年代以降、とくに人権の氾濫とかインフレ現象とかいわれるようになり、「プライバシーの権利」とか「知る権利」という新しい人権が注目を浴びていますが、新しい権利とか人権について、佐藤先生に少し具体的な例をあげてお話をしていただきたいと思います。

佐藤　ただ今、田中さんのほうから、かつては私権を中心に権利というものが考えられていたけれども、だんだん人権も取り込むような形で権利を考えるようになってきており、また考えなければならないところがあるのではないか、というお話がありました。かつては、憲法あるいは憲法論にいう権利とか人権とかは、理念的性格が強く、厳密には権利ないし権利論とはいい難いというような見方が強かったのではないかという気もするのですが、それだけに田中さんのお話は興味深く伺いました。

さて、それはそれとして、田之上さんがご指摘のように、いろいろな〝新しい人権〟が主張され、〝人権のインフレ現象〟と評されることもあるような側面もたしかにあり、憲法論としてそれをどう受けとめたらよいのかという問題があることは否定できません。人がいろいろな立場からさまざまな事柄を〝人権〟として主張することは結構なことですが、その意味なり性格なりを法的に整理をしておきませんと、憲法の保障する人権全般の価値低下を招きかねない危険もないとはいえません。

もともと人権とは〝人間が人間として当然に有する権利〟などといわれるように、理念的性格の強いものです。私法上の権利は、貸した金を返せとか、自分の所有物を侵害された場合にその侵害を排除するというように、極論すれば、即物的で明確なものです。それに比べれば、憲法上の人権は茫漠としたところがあることは否定できません。人権の出発点をなすのは自由権であるといってよいかと思いますが、その典型である〝表現の自由〟を取り出してみても、その内包・外延定かならぬところがあります。それでも、自由権の場合はまだそれなりに明確な内実を備えているといってよいかもしれません。

ところが、先ほど田中さんが触れられたように、自由権の射程を越えてさまざまな人権が主張され、人権観念が拡大してきました。社会・福祉的諸権利の登場・拡大がそれです。田中さんのお話にもあったように、〝新しい人権〟というものは、主としてそういう次元のものであるように思われます。それに伴って人権観念がますます茫漠としたものになってきました。

それにもうひとつの事情が加わります。人権は本来、対公権力との関係で観念されたものなのですが、最近の人権論は、対私人・対公権力を区別しないで主張されるところに特徴があるように思います。それは考えようによっては当然なことで、人権は〝人間が人間として当然に有する権利〟ということですから、相手が公権力であろうと私人であろうと、理屈としては同じだということになるわけですね。例えば、人格権は面白い素材を提供しているように思います。近代法体系は名誉権の法的保護を当然視していますが、近代人権宣言にはその種のものを直接に人権の問題ととらえている気配はみられません。しかし、今日、人格権――直接この言葉を用いるかどうかは別として――も憲法上の人権と考える点ではほぼ共通の認識があります。つまり、公法でも私法でも同じ権利がいわれているわけです。もちろん、公法の領域と私法の領域とでその保護のあり方に違いはありうるところですが、同じ人格権という以上、共通の内実の保護にかかわっているはずですね。〝新しい人権〟の代表格の一つである「環境権」――その中身や性格についてはさまざまな見解がありますが――にも、同様のことがいえるようです。

●「新しい人権」の基本的な枠組

こういうわけで、人権観念はどんどん拡大し、極論すれば、各人各様の立場で、各人が大事だと思うものが人権として主張されるようになってきている。隣人の行為について、何かけしからんと思うことがあると、先ほど田中さんがいわれたように、人権侵害だと非難するというようなこともある。

それはそれとして、理解できないわけではありませんが、憲法学の立場から見て、そういうさまざまな人権の主張ないし人権論には問題があることを指摘しておかなければなりません。

いくつか思いつくままに挙げますと、一つは、〝新しい人権〟の主張はどうも憲法超越的になりがちであるということです。各人各様の立場で人権を主張するのはいいのですが、憲法典は独自の考え方のもとで、一定の体系的な見地から人権を保障しているのであって、それにのせうるもの、根拠づけうるものでなければ、憲法上保障された人権とはいえないと思うわけです。憲法は玉手箱のようなものではありません。

第二に、日本国憲法は、個人の自由というものを中心に人権を考えているということです。先ほど田中さんもおっしゃったことですが、社会・福祉的諸権利は、そうした個人の自由の基盤をつくるという趣旨のものであるということは、基本的な事柄として念頭においておく必要があるのではないかと思います。〝新しい人権〟の中には、社会・福祉権的なものが多いだけに、とくにそう思います。

第三に、人権は、本来普遍的で重要な内実にかかわるものでなければならず、先に述べたこととの関連でいえば、憲法の保障する人権保障体系と整合性をもつものでなければならないということです。人権といわれるものの中には、この点で問題と思われるものがあるようです。

第四に、対公権力と対私人との関係をやはり区別して考えるべきではないかということです。これは人権の発生史からもいえることですが、なんといっても公権力には私人とは違った問題があります。そこには人に命令・強制する統治権にかかわる問題があり、やはりそれは私人相互間とは違うものとして考える必要があります。私人相互間の関係では、私的自由とか結社の自由といった問題に配慮をしなければなりません。対公権力・対私人を区別しないで漠然と人権をとらえることは、一方では統治権固有の問題を曖昧にしかねず、他方では人権をいたずらに倫理化しかねない危険があります。

第五に、人権といいますと、言葉それ自体としては大変重々しいニュアンスをもち、なにかそこから論理必然的に一定の帰結が導かれるかのごとく考えがちである点に注意する必要があるということです。例えば、憲法解釈論上、選挙権・被選挙権が人権かどうかが問題とされ、人権であるとみるか否かによってその制約に厳しい限界があるかどうかが必然的に決まってくるというような議論の立て方がなされることがありますけれども、そもそもその場合のいわゆる「人権」とは何なのかが明らかにされなければ、一種の思考省略に陥ってしまいます。

第六に、人権という場合、それが具体的にどのような内容をもち、その実現のためにどのような工夫をしなければならないのかという、法技術的な側面について、ともすると配慮を怠りがちであるということです。人権は非常に大切なものだけに、なにかそれだけで世の中に通用していくみたいに思われがちなところがなきにしもあらずですが、そうした法技術的な側面への配慮が実は大変大事なのです。

例えば、マス・メディアに対する「アクセス権」が人権として主張されることがあります。私は、社会的な意味合いでそうした「アクセス権」が主張されるのには賛成なのですが、憲法によって保障された法的な権利であると考えることには消極的です。つまり、そうした「アクセス権」を法的権利と認め、それを法的に実現しようとしますと、表現の自由に対する重大な危険を惹起する恐れがあるからで、実際にはマス・メディアをして真の〝強者〟に対し一層弱い存在にしてしまいかねません。「知る権利」についても、似たような問題があります。「知る権利」といっても大変多義的ですが、それを政府情報開示請求権としてとらえるとしても、基本的にはその内容を特定しつつ法律（条例）による裏づけ（制度化）が必要で、役所の文書不作成等に対処しつつ実効的な開示請求制度をつくるためには法制度・法技術的なさまざまな工夫が必要です。

◉人権の普遍性

松村　人権というのは、佐藤先生が一番最初におっしゃいましたように、〝人間が人間として当然に有する権利〟であるなどといわれて、そのことから人間存在の多様性に応じて人権も多様である、などといわれることもあるわけですが、今の先生のお話では人権の普遍性といったものも非常に重要ということでしたので、その両者はどういう関係に立つのでしょうか。

佐藤　人権を主張する側では、これこそ大事なものだという意識があるものと思いますが、それが、客観的に見て、誰に対しても同じように大事だといえるかということになると、必ずしもそうとはならないのではないかという趣旨なのです。社会における人の立場や状況は千差万別ですが、人間としてみた場合基本的に誰にとっても大事なものであるということがいえなければならないのではないかということです。

松村　誰にとっても同じように大事なものが、憲法の人権の体系にのりうるということでしょうか。

佐藤　そうですね。例えば、山登りは、本当に山の好きな人にとっては、それこそその人の存在そのものにかかわる大事な事柄であるといえるかもしれませんが、山登りをするのが人権かといわれると、端的にそうだとはいえないでしょう。山登りの規制の仕方如何によっては憲法問題となる余地もありえないことではありませんが、端的に山登りをする人権があってその侵害というようなことにはならないのではないでしょうか。喫煙の自由等についても同様ですね。

Ⅲ　人権の生成過程

●人権の段階的構造

田中　人権の性質やそれをめぐる問題状況についての佐藤さんの今の説明からもわかりますように、佐藤さんは、人権について、人間存在のあり方という道徳的・政治的背景にかかわる法哲学的な面と、人権の司法的保護・救済のあり方にかかわる法技術的な面との両方を見すえながらいつも議論をされているわけですね。私が法哲学的観点から関心をもっておりますのは、佐藤さんが、人権の法的制度化あるいはその生成過程について、「背景的権利」、「実定法的権利」、「具体的権利」という三段階に分けて考える——もっとも最近は、まず背景的権利と法的権利に分け、法的権利をさらに抽象的権利と具体的権利とに分けておられるので、あるいは二段階なのかもしれませんが——という見解を展開されていることです。この考え方は、とくに新しい権利をめぐるいろいろな問題を考えるのに有効だと思うのですが、具体的な例を挙げて説明していただいて、それを手がかりに話を進めることにしてはどうでしょうか。

佐藤　この点は、田中さんも、以前から、「第一次的権利」、「回復的権利」という考え方を提唱しておられまして、私の三段階論もそれと密接に関連しているものです。

先ほど人権は理念的な性格が強いということに触れましたが、人権の主張ないし人権論の中には、憲法上の規定ないしその人権保障体系とはひとまず無関係に、あるいはその関係を厳密には考えないで、各人各様の立場でいわれているものがあり、私はそれを「背景的権利」と呼ぶことにしています。そういう「背景的権利」が、明確で特定化しうる内実をもつまでに成熟し、かつ、先ほどいいましたように、憲法の人権保障体系と調和する形で、特定の条項に根拠づけられうる時に、「法的権利」といえるものになるというように考えるのです。

例えば、「プライバシーの権利」は、かつて〝ひとりでほっておいてもらう権利〟であり、それは〝文明人として最も大事にされる権利〟であるなどといわれたものです。かかる表現だけをみますと、大変に重要なものらしいということはわかりますが、なにか雲をつかむような話でもあります。それがしだいに明確で特定化しうる内実をもつようになり、それに伴って憲法の具体的条項に基礎づけることができるようになって、憲法上保障された「法的権利」であるといえるようになったとみることができます。

ところで、「法的権利」といえば、一般的に直ちに裁判所を通じて具体的に実現しうるものかといえば、必ずしもそうとはいえない。生存権をその例として挙げうるかと思います。憲法の明文によって保障され、疑いもなく「法的権利」というべきものであろうと思いますが、それではそのままで直ちに一般的に裁判所を通じて実現しうるかというと、そうとはいい切れないところがあります。先ほど触れた政府情報開示請求権としての「知る権利」を憲法二一条に根拠づけうるとしても、同様の問題が生じるかと思います。そうしますと、憲法上定礎された「法的権利」の中には、裁判所を通じて直ちに具体的に実現しうるものと、そうでないものとがあるということになります。そこで、前者を「具体的権利」、後者を「抽象的権利」と呼ぶことにしているわけです。

問題は、「具体的権利」か「抽象的権利」かは何によって決まるかということです。それは大変難しい問題ですが、ごく単純化していえば、司法作用として受けとめうるだけの特定性・明確性を備えているかどうかということになるのではないかと思われます。したがって、このことと関連して、一般的な実現という観点からは「抽象的権利」といわざるをえないとしても、特定の問題状況なり問題の取り上げ方如何では、直ちに裁判所を通じて実現されうる場合もあるかもしれない。例えば、生存権について、議会がその立法化を不当に怠った場合において、国家賠償請求という形で問題を取り上げ争ったならば、裁判所としてそれに応えうる状況があるかもしれない。そうだとすれば、間接的にではあるが、その限りにおいて、生存権は「具体的権利」であるという言い方もできないではない。

ともあれ、人権の発展過程を見ると、「背景的権利」→「法的権利」→「具体的権利」というように考えられるかと思うのです。しかし、最近では、私は、実際の具体的な展開としては、逆方向のものも考えられるのかもしれないというように思い始めています。

●憲法上の権利

田中　そうですね。私も、新しい権利の生成は直接的な現象としては裁判の場で「具体的権利」として承認されるかどうかという形で問題となることが多いことなどからみても、新しい権利の法理論的な正当化の過程と、その実際の生成の過程とは逆ではないかということを最近考え始めております。

ただ、人権については、たしかに具体的権利レベルで裁判の場で争われる司法的救済の問題が重要であることを否定するつもりは毛頭ありませんが、司法的救済と直接には結びつかなくとも、やはり憲法上一定の人権が保障されていることが裁判外でいろいろな法的意義をもっていることも重要だと思われます。人権が実定法上の権利だということから、裁判による司法的救済以外のところで法的な保護・救済がなされているわけですけれども、こういった問題は憲法学ではどういうように考えておられるのでしょうか。

佐藤　私法上の権利の場合、司法的な救済ということが基本的な属性として考えられてきたということですが、憲法上の権利の場合ですと、なにも裁判を通じてだけということではなくて、立法・

行政を通じての実現ということもあるんですね。もちろん、立法・行政を通じての実現ということまで進めば、さらに司法的救済の可能性も出てきますが、憲法上の権利については、立法・行政上の実現と司法上の実現という二種類のものがあり、必ずしも司法的救済だけに限定し考える必要はないのではないかと考えています。

憲法上の権利の性質を考える場合、それが直ちに司法的救済になじむ性質のものなのかどうかの検討は重要なことですが、それ自体として司法的救済になじまない性質のものだからといって憲法上の権利ではないとか、価値として低いとか、というように考える必要はない。生存権然り、「知る権利」然りですね。学問の自由には大学の自治が含まれるといわれますが、大学の自治の確立には法律的裏付けを待たなければならないところも少なくありません。そうした意味で、憲法上の権利は元来複合的性格をもっているというべきかもしれません。

裁判所の姿勢

松村　あまりお二人だけで話を進めないで下さい。佐藤先生の先ほどのお話の際に、「背景的権利」→「法的権利」→「具体的権利」といったプロセスとは逆方向の権利生成もありうるのではないかというお話も出て、田中先生もそのような気がするという趣旨のことをおっしゃられたわけですが、そのあたりのところを具体例をまじえて、どのようなプロセスがあるのかということを、もう少しご説明願えませんでしょうか。

佐藤　われわれ学者は、権利というと、とかくカテゴリカルに考えがちですが、裁判所の立場からしますと、そうしたカテゴリカルなとらえ方は第二義的なことで、具体的な訴訟事件に直面して、当事者が救済を求めていることについて、果たして本当に救済する必要があるのかどうかということこそ主要な関心対象であるということかもしれません。実際そういう観点から判例をみますと、なるほどと思えるところも少なくないように思います。

「中京区長前科回答事件」というのがあります。弁護士会の照会に対して京都市中京区長が安易に前科について回答したというので、最高裁判所が国家賠償を認めたという例です。賠償請求事件ですからカテゴリカルな権利の存否を問題にする必要はなかったといえばなかったのですが、判決（最判昭和五六年四月一四日判時一〇〇一号三頁）は、憲法上プライバシーの権利が保障されているか否か、それはどういう権利であるかというようなことには直接言及せずに、公権力の違法な行使に当たるとして賠償を認めています。

より最近では、「厚生省援護局身上調査票訂正等請求訴訟」というのがあります。これは、自己に関する誤った記載は継続的不法行為をなすとして民法および国家賠償法に基づき損害賠償を求め、また、憲法一三条に基礎をおく国民の基本的人権であるプライバシーの権利に基づき記載の抹消を求めた訴訟ですが、判決（東京地判昭和五九年一〇月三〇日判時一一三七号二九頁）は、いずれの請求も斥けはしましたが、理論上抹消・訂正を求める可能性は否定しませんでした。カテゴライズされたプライバシーの権利というようなものを憲法との関係で直接問題とすることなく、「他人の保有する自己に関する誤った情報の抹消・訂正を求めることにつき、重大かつ切実な人格的利益を有している」かどうか、というレベルで問題をとらえています。

やや古いところでは、デモ中の者に対する警察官の写真撮影に関して、「肖像権と称するかどうかは別として」、警察官が正当な理由もなしに個人の容貌等を撮影することは「憲法一三条の趣旨に反し、許されない」とした大法廷判決（最大判昭和四四年一二月二四日刑集二三巻一二号一六二五頁）があります。

それから、昭和四四年の「博多駅フィルム事件決定」（最大決昭和四四年一一月二六日刑集二三巻一一号一四九〇頁）、昭和五三年の「西山記者事件決定」（最決昭和五三年五月三一日刑集三二巻三号四五七頁）は、「報道の自由とともに、報道のための取材の自由も、憲法二一条の精神に照らし、十分尊重に値いする」という表現で事案を処理しています。これは果たして「取材の自由」が憲法二一条の保障する表現の自由に含まれるとみているのかどうか、どうもその点はやや疑問で、「取材の自由」は表現の自由そのものではないが、表現の自由の保障をまっとうせしめるために、周辺的なところを一定限度で保護する必要があるという発想に立つとみるのが正しいように思われます。

今若干の例をあげたにとどまりますが、要するに、裁判所は憲法に根拠する「権利」かどうか、その性質や中味は何かというようなことを必ずしも正面から問題にせずに、具体的な訴訟状況の中で法的保護に値するものかどうかを判断し、必要と判断した場合には必要な範囲で保護を与えるという姿勢なのではないかと思われます。

◉権利の生成過程

われわれはそういう判例を引き取って、「権利」としてカテゴライズして理論構成をする。逆に、学説上のそういう「権利」論が裁判に影響を及ぼし、具体的事案との関係である種の受けとめ方をされる。先ほどの西山記者事件などを例にとりますと、「取材の自由」を表現の自由の内実をなすものととらえる学説上の表現の自由論が取りあえずは判例によって「憲法二一条の精神」論という形で受けとめられたとみることもできるし、判例のそういう姿勢が学説を刺激して表現の自由の一環としての「取材の自由」論を一層展開せしめるという関係もみることができる。それはともかく、裁判所からすると、カテゴライズされた「権利」というようなものにこだわらずに、具体的な訴訟状況との関係で判断すればよいというところがあるかもしれません。裁判所のこういう姿勢は、司法権のあり方との関係で問題もありますが、この点は機会があればまた後に言及しましょう。

ともあれ、このようにみてきますと、学説と判例との間にはダイナミックな関係があるのであって、われわれはそういう点にもう少し注意を向ける必要があるのではないかという気がします。前にいいましたように、「背景的権利」→「法的権利」→「具体的権利」という方向だけでなく、具体的な救済→「具体的権利」→「法的権利」→「背景的権利」という方向での展開もあり、そうした相互的で複雑なダイナミックな関係において「権利」の問題を考える必要があるのではないかと思います。

松村　つまり、従来の議論からいうと、法的な権利、とくに具体的な権利から、なんらかの保護されるべき権利や利益が流れ出してくるという議論がなされていたけれども、実際の権利の生成過程をみますと、むしろその手足のほうが先に現われて、それについて裁判所が判断して、それを学説がまた構成してカテゴライズしていくという、二つの方向からの仕事によって権利が生成していくということでしょうか。

佐藤　ええ、そうですね。田中さん、どうですか。

◉社会の正義・衡平感覚

田中　先ほどの佐藤さんの説明を、今まで私が話してきたことと関連させて少し別の観点からみてみますと、結局、「背景的権利」→「法的権利」→「具体的権利」というプロセスは、国家的な法の見方をベースとする法段階説的な権利の正当化の論理で、これは実定法による問題処理には不可欠だと思います。しかし、実際、新しい権利がどうして生成してくるかというプロセスをみてみると、今佐藤さんがおっしゃったように、何か具体的なケースが裁判所に持ち出されて、裁判所が、当事者の主張を聴いたりいろいろ審理してみて、〝どうもこれは救済しなければならないようだ〟、〝このまま放っておくと司法とか裁判に対する信頼にかかわるぞ〟、というように考えるケースがあると、個別的に救済をしていくという面があって、まず何か一定の利益が侵害されて、それを救済しなければならないという形で、回復的権利のレベルで、権利が問題になるわけです。

その場合、一定の被害救済を「何々権」として正当化するためには、人権の場合ですと、一方では、憲法の条項とか精神とか理念による納得のいく理由づけ・理論構成が必要なわけですが、他方では、そのような法的な理由づけ・理論構成がその時々の社会で支配的な正義・衡平感覚という漠然としたものによって要求され支持されており、裁判の場でそのような社会レベルの声が汲み上げられるという側面も無視できないのではないかと思います。そういう意味では、回復的・具体的権利の前提として、一定の利益や要求は相互に権利義務として承認し尊重しあい、必要な場合は国家機関を通じてそれが実現されたり救済されたりすることを要求し支持するという、第一次的な権利義務感覚が市民相互間に相当広汎に浸透していることも、必要であり、たしかに漠然としてつかみどころのないものですが、こういった感覚は、法を動かす原動力として重要ではないかと思います。少し社会的な法の見方に偏りすぎているかもしれませんが……。

佐藤　おっしゃる通りだと思いますね。

Ⅳ　司法による権利の保護

●「環境権」は認められているか

田之上　新しい人権の裁判所による救済について、「環境権」が裁判所で認められているかいないのかについて議論される場合、一般には認められていないと説明されているようですが、なかには、環境権の主張内容が実質的に「人格権」として認められているのだから、裁判所は環境権を認めていると考えてよいという意見もあるようですが、この点はどのように考えたらよいのでしょうか。

佐藤　今いわれたように、裁判所は「環境権」をそれ自体として受け容れようとはしていないのですが、例えば、「大阪空港公害訴訟」の控訴審判決（大阪高判昭和五〇年一一月二七日判時七九七号三六頁）のように、「人格権」として実質的には保護を与えようとするものもあるわけです。われわれ学者はカテゴライズするのが好きで、ときには「環境権」をあまりに壮大なものとするものですから、裁判所としては、それを正面から受け容れてしまうと裁判所にとって大変なことになりそうだということで躊躇するところがあるのかもしれません。しかし、実質的には先ほどいったような形で保護を与えようとしているところもあることに注意する必要があると思います。また、「環境権」の中には、どうしても立法・行政上の措置に待たねばならないものもありますね。

◎権利の複合的性格

先ほど権利といっても複合的にとらえる必要があるという話が出ましたが、前に田之上さんが触れられた「知る権利」や「プライバシーの権利」についてもそのことがあてはまりますね。「知る権利」と一口にいっても、いろいろな側面をもっている。それは、ある面では直ちに裁判所によって実現されうるというものもあるし、ある面では立法・行政的措置に待たねばならないというものもある。

その点をもう少し立ち入って説明しましょう。「知る権利」は実にさまざまな文脈でいわれます。例えば、行政手続における告知・聴聞との関連で「知る権利」がいわれることもある。ただ、「知る権利」が主にいわれるのは、表現の自由の領域とプライバシーの権利の領域であるといってよいように思われます。ところで表現の自由の領域でいわれる「知る権利」もけっして一義的ではない。例えば、報道の自由や取材の自由を根拠づけるために「知る権利」を引き合いに出すということがあります。先に触れた博多駅フィルム事件決定等がそれです。それは、表現の自由を支える理念のようなものを「知る権利」として把握し、それによって表現の自由の保障を強化するとか、表現の自由の周辺的なものにまで保護を及ぼすとか、という趣旨のものといえるでしょう。それから、政府がもっている情報を国民はみる権利があるというような趣旨で「知る権利」がいわれることがある。いわゆる政府情報開示請求権です。これも、さらに立ち入ってみますと二種類のものがありまして、選挙権等と同種の参政権的な趣旨のものと、政府のもつ情報を個人的に利用するというパーソナルな性質のものとがあります。言論活動について、公的（政治的）言論と私的言論にわけられるのと符合するといえましょうか。プライバシーの権利の領域でいわれる「知る権利」は、自分の情報――例えば、市民病院に保管されているカルテ――は自分でみる権利があるというような人格権的性質のものです。

ですから、「知る権利」といっても、理念的レベルのものもあれば、権利論のレベルのものもある、権利論のレベルのものの中にも自由権的なもの、参政権的なもの、あるいは純然たる請求権的なものがある、というように実に多様なのですね。したがって、その法的実現も多様なものとならざるをえない。この点を捨象して「知る権利」は「背景的権利」か「法的権利」か「具体的権利」かを論じてもあまり意味がないということになりましょう。

◉権利の特定性・明確性

田中　たしかに、おっしゃるように、ある人権が具体的権利か否かを一般的に論じるよりも、ある人権のどの部分がどのような仕方で司法的救済を受けうるかという形で議論を進めるべき段階にきていると思います。

裁判による司法的救済を受けるかどうかの目安として、佐藤さんは、その要求内容を具体的に明確に特定化できるか否かということを重要視されているわけですが、これはやはり現行裁判の制度的枠組がそうだからということになるのでしょうか。

佐藤　そうです。ただ、裁判上直接に実現できるかどうかとは別に、そもそも「法的権利」といえるかどうかという次元でも明確性・特定性の問題はあるように思います。

例えば、その中身として相互に矛盾しているものをもっているようなものは、「法的権利」というには問題があるのではないかと思います。「環境権」の場合を例にとりますと、自然的環境のみならず、人によっては社会的・文化的環境を含めていますね。そうしますと、厄介なのは、そうした自然的環境と社会的・文化的環境とが内部矛盾をきたす可能性があるということです。つまり、自然を潰してもよいから文化的な建物や施設を造れということにもなりかねない。「平和的生存権」についても似たような問題があるように思います。日本国憲法が全く非武装中立の立場にたっていると解すれば事は簡単なのですが、そうではなくて自衛権にかかわる自衛力のようなものの保持は可能であるという立場もありうる。そうしますと、武力を一切もたないことが「平和的生存権」だという立場もありうれば、国が一定の自衛力をもつことこそ「平和的生存権」の実現だという立場もありうるわけです。両方がそれぞれ一応合理的に成り立ちうるという場合に、これを果たして「法的権利」と称しうるかどうか。この点が明確にされない限り、「平和的生存権」も基本的にはなお「背景的権利」の段階にとどまるのではないか、というような感じがするわけです。

松村　特定性・明確性というのは単に「具体的権利」であるための要件としてだけでなくて、憲法上の「法的権利」としての要件でもあるということですか。

佐藤　まさにその通りですね。ただ、「具体的権利」と「法的権利」との間には、要求される特定性・明確性の程度に違いはあろうかと思います。その違いを具体的にしかも簡潔に述べることはなかなか難しいことですが……。

田中　要求内容や救済方式の特定性・明確性・具体性といった要件は、私法上の権利についても、権利義務概念によって利害調整や紛争解決をする場合に、これらを備えていないと、そうした機能を果たすことができないこともあって、非常に重要視されていますね。「日照権」などが裁判所で認められやすかったのは、権利主体もはっきり特定できるし、日照時間が冬の一番短いときで何時間必要だというような形で、要求・救済の内容も一義的に示すことができたことも大きな要因で、それに対して環境権の場合は、それ自体が具体的権利として承認されにくいのは、先ほど佐藤さんも指摘されましたように、このような要件に問題があるということでしょうか。

佐藤　そういう気がしますね。

権利保護方式の多元性

田中　人権がどのような要件を備えた場合、裁判による司法的救済を受けやすくなるかという問題は、次の裁判の役割の問題とも関連するわけですが、たしかに、これが法的権利なのか権利ではないのかという議論だけでは片付かない問題が、多くなってきているように思われます。その理由としては、一方では、権利・人権として法的に制度化されていたり人びとが要求したりする内容が多種多様になってきていることと、他方では、それらの権利・人権の法的な保護・救済を考える場合、裁判による司法的なものだけでなく、行政的な保護・救済をも視野に入れていかなければならなくなってきていることと、両方考えられるのではないでしょうか。

佐藤　そう思います。権利の保護という場合、司法による保護を念頭におく場合でしたら、基本的には権利の侵害に対してそれに見合う救済ということになろうかと思いますけれども、立法・行政による保護をも視野に入れた場合、権利の侵害という次元にとどまらず、より積極的で広汎な保護ということも想定できるわけですね。ですから、司法による権利の保護と、立法・行政による権利の保護との間にはなにか違うところがあり、それぞれの役割を視野に入れて総体的に評価をする必要があるということになりましょうか。

田中　憲法学の場合、そういった立法とか行政というレベルでの政策的議論にまで拡がっていく反面、同時に、裁判による司法的救済という法技術的レベルの議論も詰めていかなければならないということで、議論の立て方がなかなか難しいですね。

佐藤　その辺は難しいですね。

田中　憲法学を単なる政策論から法律学へという方向をもっと推し進める必要がある一方、他方では、法律学的議論だけではカバーできない憲法の役割にも眼を向けなければならないということでしょうか。

佐藤　そうですね。そういう意味で、憲法学の守備範囲が広すぎて、ともするといろいろな次元が混同されたり、拡散しすぎたりするおそれもないではないですね。

田中　まあ、それはとくに憲法学の宿命みたいなものですね。しかし、法律学のどの分野でも、基本的に同じような状況がみられるようになってきているともいえるのではないでしょうか。

第4章　司法と裁判

Ⅰ　裁判から司法へ、そして司法から裁判へ

◉「司法」と「裁判」との区別

田之上　これまで、司法と行政との関係とか、部分社会の法的紛争、さらに新しい権利・人権に関する司法的救済のあり方などに関連して、しばしば司法・裁判の役割ということが話題になりました。また、最近、新しいタイプの訴訟が急速にふえ、裁判の機能拡大とか司法権の限界といった問題についていろいろと議論がなされているようです。そこで、裁判をめぐる問題を最後に取り上げたいと思いますが、まず、いろいろな問題を考える基本的な前提となる、司法・裁判の特質とか役割などについて一般的な説明をお願いできないでしょうか。

佐藤　今のご質問は、憲法学の次元で受けとめますと、日本国憲法にいう「司法権」とは何か、それはどういう発想ないし原理に由来するものか、ということにかかわってくるかと思います。まず、「司法」と「裁判」という語は、今日しばしばインターチェンジブルに使われているんです

けども、私は、基本的に両者は区別して考える必要があるんじゃないかと思っています。

「裁判」というものは、古代社会や中世社会を通じてすべての国家にみられたものです。政治権力は、ある意味では裁判権力として現われていたといっていいのかもしれません。「裁判」というものは、具体的な個人の生命や財産を奪うものですから、ある意味では非常にこわいものです。今日われわれが裁判所というと、ある種の信頼感をもちますけれども、本来はそうでないのかもしれません。モンテスキューが『法の精神』の中で「かくも恐ろしき裁判権は……」などといっているのは、おそらくそうしたことに着目してのことだろうと思います。現在でも、「裁判」という儀式を伴った〝政治裁判〟がみられ、その過酷さや厳しさを考えれば、モンテスキューが「かくも恐ろしき裁判権は……」といった意味がわかろうというものです。

このモンテスキューは、かかる裁判権を恐ろしくないものにするにはどうすべきかを論じて、次の二つの条件を提示します。一つは、政治権力から裁判権力を引き離すということです。裁判権力が政治権力と結びつくから恐ろしいのであって、両者を切り離すということです。第二に――これはしばしば引用される有名な言葉ですが――裁判官をもって法を語る口とするということです。文字通りに実際それが可能なのかどうかについてモンテスキューがどのように考えていたかはともかくとしまして、そういう建前を通さなければならないと彼が考えたからであろうと思うのです。今日われわれが「裁判」という場合、一般に、「法による裁判」ということを念頭におくかと思います。一七八〇年のマサチューセッツ憲法は、明確な権力分立構想に立脚するものですが、それは、〝人による統治〟

ではなくて〝法による統治〟ということを謳い、モンテスキューが「裁判する権力」と呼んだものを「司法権（ジュディシャル・パワー）」と命名しました。スローガン的にいえば、中世から近代への裁判権力の推移は、〝裁判から司法へ〟ということになろうかと思います。ごく図式的にいえば、近代立憲主義国家では、立法権は抽象的・一般的な法規範たる法律を定立するところ、行政権はかかる法律の合目的的な実現をはかるところ、それに対して、司法権は法（法律、憲法等）の客観的な意味に従って紛争を公平に解決するところ（法を語る口）、ということになります。

固有の手続と実体法への準拠

こうした司法権のとらえ方は、近代立憲主義固有のことで、今日われわれはそれにあまりとらわれる必要はないのではないか、という立場もありましょう。例えば、民主主義が非常に進展した場合、なにもそんなに堅苦しく司法権というものを考える必要はないのではないか、主権者たる国民にとって役に立つよう、都合のよいように仕立てればよいのではないか、という立場もあろうかと思います。しかし、まさにこの点で示唆的だと思われるのは、フラー先生の所説です。彼は、司法は立法や行政とは違った、それ特有の存在構造、長所と短所（限界）をもっているのだということを力説しているのです。ここでは、彼の所説の委細には立ち入りませんけれども、固有の手続に従って、実体法に準拠して行なわれる近代司法というのは、普遍的な意味合いをもっているのではないかと私は考えています。

近代司法の特徴を形づくる諸要素を図式的に掲げれば、次のようになろうかと思います。一つは、アドバーサリー、すなわち対審的な構造をもっているということです。そして、主張、弁論、証拠を提出することは基本的に当事者の責任であり、裁判官は受動的であるということです。第二は、客観的であるということです。すなわち、裁判所に提出される経験的な証拠、一連の手続的・技術的ルール、判決の基礎となる法、この三者に基づく客観的なものであるということです。第三は、ゼロ・サム的であるということです。第四は、判断は権威的・拘束的であるということです。

しかし、現代社会では、ご質問にあるように、そういった近代司法がもってきた限界を超えて、裁判所に対してより積極的で広汎な活動を求める動きがあり、期待がありまして、近代司法のあり方そのものが今いろいろ問われてきている、再びスローガン的にいえば、「司法から裁判へ」というような動向さえみられるのではないかと思われます。これをどのように評価し、受けとめるかは、憲法学にとって大きな問題であるように感じています。

●裁判についての対立的な見方

田之上　最後に触れられた「司法から裁判へ」という最近の動向をどう評価するかという問題は、田中先生が、先ほど佐藤先生の〝現代国家における司法〟という問題設定に対して〝現代社会における裁判〟というパースペクティヴに固執するとおっしゃったことと関連しているように思うのですが、どうでしょうか。

田中　「司法から裁判へ」という最近の動向について、たぶん佐藤さんよりも私のほうが積極的に評価しているのではないかと思いますが、近代的な司法的裁判の理念や制度的枠組を普遍的価値をもつものとして現代でも基本的に承継すべきだというお考えには、私も賛成です。わが国の場合、当事者主義的手続など、佐藤さんが近代的司法の基本的特質として指摘されたものの意義や価値が実際に広く認識されるようになったのは、ようやく最近になってからではないでしょうか。このことが、わが国における司法と裁判との原理的関係の理解を少しややこしくしているように思われます。このあたりを少し図式的になりますが、民事訴訟を中心に、裁判についての国家的な見方と社会的な見方とを対比させながら説明してみたいと思います。

国家的な見方においては、裁判は、立法や行政と同様、国家権力の行使という次元でとらえられ、裁判官による法の適用という司法作用がその中心にすえられ、判決についても、裁判官の権威に基づいて下され、その強制的実現が保障されているという、権力的・強制的な性質が強調されがちです。

それに対して、社会的な見方においては、裁判手続について、もともと社会における私人間の紛争を裸の力の行使によってではなく権威をもつ第三者に委ねることによって解決しようという手続に始まるという社会的起源が強調され、裁判は、フラー先生のように、選挙や契約と同じレベルに位置づけられ、佐藤さんが話されたように、当事者主義的手続過程への両当事者の独特の形態での参加ということが重視されます。裁判の特質についても、裁判官や判決の権力的・強制的性質よりも、両当事者の主体的参加による相互作用的な自律的弁論の活性化が重視され、和解や調停など、裁判外の自主的な紛争解決との連続性というか、連動性が強調されるわけです。そして、裁判の機能についても、国家の強制権力の行使という側面よりも、紛争解決とか権利救済といった社会的サーヴィスを提供し、裁判官の権力的裁定によってではなく両当事者間の理性的な法的議論によって決着をつける公的な場という側面が前面に出てくることになります。

わが国の場合、裁判の現実の運用や利用も、人びとの裁判イメージも、圧倒的に国家的な見方に偏っていたわけです。最近における現代型訴訟の増加とか裁判外の各種の法的紛争解決方式の見直しの動きなどに伴って、少しは社会的な見方も強まってきていますけれども、それらの動きには国家的な見方をむしろ強化している面もあり、社会的な見方が今後どれだけ浸透していくか、見通しはあまり明るくありません。

手続保障の〝第三の波〟

裁判の社会的な見方がどれだけ浸透していくかの鍵をにぎっているものとして私が注目し期待を寄せているのが、その主張に全面的に賛同するわけではありませんけれども、井上正三教授や井上治典教授らを代表とする民事訴訟における手続保障の〝第三の波〟グループの台頭です。

その主な主張は、ごく簡単に要約しますと、まず、裁判の機能について、その最終的な結果として裁判官が下す判決よりも、それ以前の手続過程への両当事者の参加保障ということ自体がそこから得られる判決内容とは別個独立の内在的価値をもっていることを強調することです。そして、手続保障のあり方についても、各当事者と裁判官とのタテの関係よりも、当事者相互間のヨコの関係を中心にすえ、両当事者の主体性と自己責任に基づく相互作用的な自律的弁論の活性化ということを重視しています。ですから、手続保障の機能として、「真実発見」とか「権利保護」という手段的機能よりも、手続保障を尽くすことそれ自体によって裁判が正統性を得るという「正統性確保機能」が前面に押し出されることになります。

〝第三の波〟の具体的な主張内容となると、かなり見解の対立もあり、問題も少なくないのですが、わが国の民事裁判において、弁論の活性化の基礎となるべき口頭主義が全面的に形骸化しており、活発な法廷弁論がみられる現代型訴訟でも、当事者相互間のヨコの関係での自律的な弁論よりも裁判官とのタテの関係での訴えかけに力点をおく依存的姿勢がみられがちであるという実情をみると、このような基本的な考え方自体は、もっと浸透して然るべきではないかと思います。このような考え方は、たしかに、現代型訴訟にみられる裁判の機能拡大への対応という問題と密接にからみあいながら台頭してきたものですが、フラー先生の「参加テーゼ」と似かよっているところも多く、近代的な司法的裁判の基本的特徴の一つの理解の仕方だとみてよい側面もあります。しかし、司法的裁判の制度的枠組全体の理解としては、やはり、その普遍主義的な思想と論理の評価が低すぎるように思われ、訴訟と和解・調停との原理的区別がはっきりしないところに問題があるのではないでしょうか。

Ⅱ　現代型訴訟と裁判機能の拡大

●現代型訴訟の特徴

松村　今、佐藤先生と田中先生に、司法ないし裁判についての一般的説明をしていただきましたが、今日の状況をみますと、「郵便貯金目減り訴訟」や「大阪空港公害訴訟」あるいは「大島サラリーマン税金訴訟」や「議員定数訴訟」など、これまでにはみられなかったのではないかと思われる訴訟が提起されております。新聞によりますと、国が当事者となっている訴訟が一万件を超えているともいわれておりまして、裁判に対する国民の期待は非常に拡大しているのではないかと思います。

しかし、一方、これらの訴訟に裁判所が応えているかというと、「議員定数訴訟」で裁判所が積極的な姿勢を示していることを除いては、かなり消極的なのではないかと思います。他面、裁判による司法的救済自体は得られなくても、その訴訟をきっかけに立法や行政がそれについて救済を果たしているという面もあって、日本における裁判の機能拡大ということの意義がわからなくなってきているのです。このような状況をどのように考えたらよいのか、田中先生にもう少し一般的な説明を続けていただきたいと思います。

田中　今、松村さんが具体的例としてあげられたようなタイプの訴訟が、現代型訴訟と一般に呼ばれているのですが、現代型訴訟とは何かということ自体、特徴づけがなかなか難しいのです。当事者の数が多い訴訟とか、裁判の政治的・社会的インパクトが大きい訴訟が、そう呼ばれることが多いのですが、そういう訴訟でも法的争点は単純な事例も少なくないわけです。厳密なものではありませんが、私自身は、従来の制度的枠組によっては裁判に期待されている機能を適切に果たすことが難しい事例という観点から、次のような点が現代型訴訟の特徴として重要ではないかと考えています。

まず第一に、訴訟当事者について、従来の訴訟が立場の互換性のある比較的少数の個人が二元的に対立する紛争を典型的な事例として予定しているのに対して、現代型訴訟では、企業とか国・地方自治体などの組織・機関を相手に、個人の場合もあるが、たいていは、相当多数の人びとが集団として訴訟を提起していることが目立ちます。これは、やはり、現代における権利侵害や被害・紛争自体が〝構造的〟に立場の互換性を欠いた者の間で生じることが多くなってきていることによるところが多いと考えられます。

第二に、訴訟の主な争点というか、ねらいについて、単に損害賠償による被害の事後的個別的救済が求められているだけでなく、被害や紛争の発生自体を事前に防止するための措置が求められていたり、判例によって新しい権利が承認されたり訴訟提起や法廷での弁論が政策形成過程にインパクトを及ぼしたりして、裁判が将来にわたって一般的な効果をもつことが期待されている場合が多いことです。ですから、裁判の法的争点をそれと密接に関連している一般的な政策問題と切り離して議論したり解決したりすることが困難であり、また、直接の訴訟当事者の背後には、その裁判のなりゆき如何によって影響を受ける不特定多数の潜在的利害関係人が控えているのが通例です。

第三に、以上の二つの特徴とも密接に関連しているのですが、事実関係の解明、具体的被害の認定、責任の有無の判定などをめぐって見解の対立が鋭かったり、法的議論・判断にあたって考慮にいれるべき利害関係・政策問題・判決の効果などを拡大せざるをえなかったりするため、審理は複雑となり長期化し、また、既存の法の適用ということ以外の諸要因が判決内容を左右する程度が高まりがちになることです。当事者間の訴訟追行能力の不均衡を是正したり必要な関連情報を収集し潜在的利害関係人の意見を汲み上げたりするために、裁判官の後見的な訴訟指揮の強化が求められることがどうしても多くなります。さらに、裁判による司法的救済だけで全面的に被害救済や紛争解決に決着をつけることが難しいので、恒久的な被害救済制度や今後の被害・紛争防止策などを、裁判官のイニシアティブによる和解で取り決めようとしたり、判決が下された後も、それを土台にして当事者間で交渉したりせざるをえない事例がふえてきております。

裁判の機能拡大とは

このような現代型訴訟について機能拡大ということが論じられている場合、主として念頭におかれているのは、判決によって新しい権利が承認されたりしてリーディング・ケースとなる判例が形成されるという、一般に裁判の法形成機能と呼ばれているものです。しかし、裁判が現代社会において現実に果たしている多様な機能をトータルに理解するためには、訴訟が提起され法廷弁論が行なわれるだけでも、また、敗訴判決であっても、問題の提起、情報の公開、争点の明確化などの効果があり、新たな立法・行政上の措置を求める世論を盛り上がらせ、立法・行政レベルの政策形成にさまざまのインフォーマルなインパクトを及ぼしていることも無視できません。ですから、裁判の機能拡大を問題にする場合、事実問題としては、判決による法形成機能だけでなく、このような裁判の手続過程の展開のもつ間接的な影響力をも、その政策形成機能のなかに取り込む必要があると思われます。

しかし、このような裁判の事実上の機能拡大を直視せよ、ということと、それらのうちどこまでが裁判の正統な機能か、また、裁判においてどの機能をどのような仕方で考慮に入れるべきかという、制度的正統性の問題とは、理論的に次元を異にする別個の問題であり、ストレートに結びつけたり混同したりしないようにすることも重要です。前者が政治学的あるいは法社会学的な事実認識の問題であるのに対して、後者は、憲法・訴訟法などの解釈にかかわる法律学的問題なのです。

●裁判所はどう対応すべきか

松村　その裁判の制度的正統性という観点からみて、現代型訴訟に対するわが国の裁判所の対応はどうなのでしょうか。全般的に消極的な姿勢が強いようですが……。

田中　おっしゃる通りです。どう対応するのが適切かは、佐藤さんに憲法訴訟にそくして具体的に話していただいたほうがよいと思いますので、私はごく一般的な考え方だけを話しておきましょう。

裁判の法形成機能については、判例の法源性の問題など、むずかしい原理的な問題がありますけれども、リーディング・ケースとなる判例の形成によってある程度一般的な法的規準を設定する機能などは、憲法を頂点とする実定法的規準全体の基本的な原理・価値と矛盾せず、当該の具体的事件の解決に必要かつ十分な範囲内のものである限り、裁判所がその本来の紛争解決機能を適切に果たし、社会の紛争解決システム全体を公正かつ実効的に作動させるために不可欠であり、司法権に内在する固有の権限だろうと、私は考えております。

このような判例による法的規準設定機能は、判決の間接効・波及効などと呼ばれているものによって実現されるわけですが、このようなものは、「法律上・制度上の効力」ではなく「事実上の効力」にすぎないから、裁判官がこのような機能を考慮して審理・判断することは、本来の司法の枠をはみ出しているとみる反対論もあります。けれども、現実の裁判実務をみてみますと、最高裁をはじめ法律審などでは明らかにこのような機能を考慮して判決が形成されてきているし、「公共性」が争点となる現代型訴訟では、例えば「東海道新幹線騒音訴訟」の第一審名古屋地裁判決（名古屋地判昭和五五年九月一一日判時九七六号四〇頁）などのように、判決の間接効・波及効の考慮が判決内容を左右し当事者間の権利義務関係の確定自体に影響を及ぼしているわけですね。そうだとすれば、このような法形成機能についても、個別的な紛争解決・権利救済という本来の機能に付随的なものとしてそれと両立する限りで、裁判での審理・判断において考慮に入れ、両当事者に対しても、法廷で適切な仕方で攻防の機会を保障すべきであり、このことは現行訴訟手続の枠内でも十分可能であろうと思われます。

それに対して、訴訟の手続過程の展開が、ひろく第三者・社会一般に向けての問題提起や情報公開などの機会を提供し、政策形成過程全般にインフォーマルな間接的な効果を及ぼしていくという機能については、今日の情報化社会においてそのインパクトは大きく、行政過程の適正化などにかなりの刺激になっていることは事実です。また、当事者からみても、相手方や裁判官だけでなく、ひろく第三者・社会一般にもその法的主張の正当性を訴えかけたいという関心をもっている場合が多いと思われます。ですから、当事者がこのような機能に着眼して裁判を利用すること自体は、基本的に当事者の自由だと思いますが、裁判所が制度的正統性の問題としてそのような機能まで考慮に入れて審理・判断する必要はなく、むしろ不適切であり、裁判の対審と判決を公開の法廷で行なうことを要請する憲法八二条の問題として一般的に配慮すれば、それで十分であり、そのような事実上の効果をどのように活かしていくかは、当事者や第三者に委ねておけばよい問題だと思います。

ですから、現行裁判の制度的枠組にのってこない要求も少なくないことに注意する必要がありますけれども、現行裁判の制度的枠組のなかでも対応できる要求も多いわけで、わが国の裁判所は、まだまだ機能拡大の要求に応える余地があり、全般的に消極的すぎるのではないかという印象をもっております。

◉裁判への期待の拡大の問題性

田之上　そのように裁判所による司法的救済を得ることが困難だとわかっているのに、なぜこのように裁判に対する期待が拡大してきているのか、そこが問題だと思うのですが。

田中　たしかにその通りです。やはり、勝訴判決が得られるかもしれないという期待があるでしょうし、「大島サラリーマン税金訴訟」とか「朝日訴訟」、「堀木訴訟」などのように、その裁判自体は敗訴に終わったけれども、それらの訴訟をきっかけに税法や生活保護法規の改正がなされ、それ相応の成果を収めているケースも少なくないのです。〝新しい権利〟が、判決ではなかなか承認されそうにないにもかかわらず、次から次へと提唱されているのも、裁判外でそれなりの効果があるからだと思います。

しかし、最も重要なことは、現代型訴訟などで裁判に期待されている機能は、裁判外の公私の紛争解決方式によって適切な権利の保護・救済ができない場合や、立法・行政レベルの政策形成過程に社会各層の要求・意見が公正に汲み上げられていない場合などに、迂回的であるにもかかわらず、やむをえず最後の手段として裁判に期待されている役割が多いということです。ですから、裁判所が仮に期待に応えて機能を拡大しても必ずしも問題の本当の解決につながるとは限らず、問題の本当の解決のためには、裁判外の紛争解決・政策形成過程自体の公正で実効的な作動を回復する必要があるわけです。極端にいいますと、裁判のこの種の機能に対する期待が少なくなればなるほど、社会のシステム全体としては健全に作動しているという逆説的な関係がみられるわけで、社会の注目を集める訴訟が次々と出てくるという状況は、見方によってはあまり好ましくないともいえるのですね。

こういうこともありますけれども、基本的には、法の機能が行政過程を中心に飛躍的に拡大してきている現在、司法の制度的枠組の理解や運用において従来の私権の保護・救済の論理に固執せずに、裁判所はもう少し積極的に対処してはどうか、というのが私の基本的な考え方です。

Ⅲ　憲法訴訟の諸類型

●憲法訴訟の意味

松村　最初の質問であげた多くの訴訟は、いわゆる憲法訴訟でありますが、憲法訴訟とは何かということから始めて、それに対する裁判所の対応の仕方の現況や、あるべき対応の仕方などについて、憲法の観点から佐藤先生にお話しいただきたいと思います。

佐藤　われわれは日常用語として憲法訴訟という言葉をよく使いますが、厳密な意味でそれは何かとなると問題がないではありません。ご存知のように、わが国の違憲審査制は付随的違憲審査で、通常の司法権の行使に付随して違憲審査権が行使されるということになっています。憲法訴訟という独自の訴訟類型があるわけでなく、民事事件、刑事事件、行政事件の裁判に付随して憲法が問題になったものを、漠然と憲法訴訟と呼んでいるのが実情ではないかと思います。

このような漠然とした憲法訴訟観念を前提にするとして、それには二つの次元があるように思います。一つは、そのような紛争はそもそも憲法上の司法権の行使の対象になるのかという次元でのものです。例えば、「郵便貯金目減り訴訟」は、直接に憲法上の人権が侵害されたからというような内容のものではなくて、そもそもそのような訴訟は司法権の行使対象になるのか、事件・争訟性の要件を満たしているか、自由裁量とか統治行為とかの関係はどうか、というような観点から注目をあつめたものです。また、「創価学会板まんだら（本尊）訴訟」は私人間の争い事で、寄附は要素の錯誤に基づくもので無効だから返還せよといって争ったものですが、それが憲法訴訟といわれるのは、広い意味では信教の自由ないし政教分離の問題に関係しているということもありますが、そもそもこういった争い事に司法権が及ぶのかどうかという次元で関心がもたれたためです。第二は、いうまでもなく憲法の具体的規定に抵触するかどうかが直接問題となる訴訟で、「税関検査訴訟」とか、「議員定数訴訟」とか、あるいは「堀木訴訟」などがそれにあたります。

また、憲法訴訟といっても、国民と公権力との関係のものもあれば、国民と国民、つまり私人どうしの争い事もある。「女子若年定年制訴訟」、「三菱樹脂事件」、「昭和女子大訴訟」等々は後者のものですね。

これらとは違った観点からの憲法訴訟の類型にも触れておきましょう。行政事件は、現行制度上、主観訴訟と客観訴訟という二つの類型に分けられます。主観訴訟は、個人の主観的な権利の侵害が問題になるときのものであり、客観訴訟は、法秩序の維持そのものにむけられたもので、民衆訴訟や機関訴訟がそれです。デモの許可申請をしたところが不許可になったというときに、その不許可処分は表現の自由・集会の自由を保障する憲法二一条に違反するとして争うというようなのが主観訴訟の例です。客観訴訟の裁判は本来の司法作用ではないけれども、立法政策上例外的に独自の訴訟類型として設け、裁判所にそれを行なわせるのだと考えられています。したがって、憲法訴訟としての行政事件訴訟の主なものは主観訴訟ということになりますが、しかし、今日、客観訴訟が憲法訴訟の場として重要な意味をもってきているように思います。「議員定数訴訟」や「津地鎮祭訴訟」などがその例です。

●憲法訴訟の類型

さて、こうした憲法訴訟には、訴訟のねらいや性質あるいは問題解決の方法といった観点からみて、三種類のものがあるように思います。一つは、法律を例にとれば、問題の法律を違憲だと判断したら、それを無効と判示すればそれで済むという類のものです。付随的審査制の下でわれわれが理解してきたのは主としてこういう類のものではなかったかと思います。例えば、尊属殺重罰規定が問題となった事件では、裁判所は刑法二〇〇条が違憲だと判断したら同条を無効としてそれを適用しなければ、それで済むわけです。薬事法距離制限規定が問題となった事件でも、同様です。

第二に、違憲・無効としただけでは事件なり問題なりを解決したことにはならないような類のものがあるように思います。いわゆる制度改革訴訟は、この種のものが多いようです。「議員定数訴訟」は、その一例といえるでしょう。ある選挙区の有権者が、公職選挙法の別表は憲法一四条に反しており、それに基づく選挙は無効であると主張して訴える。訴えで求められているのは、直接にはすでに行なわれた選挙で、しかも当該選挙区の選挙の無効なのだけれども、それでは、裁判所としてその選挙区の選挙を無効とすればよいのかというと、事はそう単純ではない。訴えの真のねらいは、別表全体が各選挙区の有権者数なり人口数なりに比例して適正に定数を配分し、それに基づいて選挙が行なわれるようにということなのですね。そして、すでに行なわれた選挙を無効にしてもらわなくとも、将来に向かっての是正でも目的が達成されるとみることもできる。改正前の国籍法の下での「国籍訴訟」は、訴訟当事者にとって国籍を取得できるかどうかという重要な問題にかかわっていますが、これも父系優先血統主義の規定を違憲・無効とするということだけでは問題は解決せず、そのような国籍制度そのものを変えなければならないのですね。「在宅投票制廃止違憲訴訟」も、同様でしょう。

こういう訴訟は、権利と救済を分けて考えなければ、うまくいかないところがあります。「議員定数訴訟」はまさにその典型ですね。やや特殊かもしれませんが、アメリカの人権差別撤廃訴訟などをみますと、この問題が一層顕著な形で表出していますね。かつてのわが国の裁判所の態度をみますと、救済が非常に厄介だという場合には、むしろ権利のほうに遠慮してもらって問題を処理してしまうというような傾向があったように思われます。日本国憲法は「迅速な（公開）裁判を受ける権利」を保障しています（三七条一項）けれども、かつて最高裁判所が、違憲にしたらますます訴訟が長引くから、かえって変な結果になるというような発想で、同規定をプログラム的なものと把握したのは（最大判昭和二三年一二月二二日刑集二巻一四号一八五三頁）、その辺のことをよく表わしているかと思います。

憲法理念によって制度改革をめざす訴訟類型

憲法訴訟の第三の類型として、憲法上明確な根拠や基準をもつとはいえないものをベースにして、政治社会における諸制度の改革をめざす訴訟が考えられるのではないかと思います。「議員定数訴訟」

も、見方によってはそういう訴訟といえるかもしれませんが、一四条の保障する平等権にかかわる問題として一定の明確な基準を想定できるとすれば、第二の類型の憲法訴訟ということができると思います。ここにいう第三の類型の憲法訴訟は、憲法上はっきりした根拠や基準があるわけではないのだけれども、憲法から窺われる理念ないし原理あるいは政策というようなものを根拠にして、政治社会に存する諸制度の改革をめざさんとするものです。いろいろな意見のあるところですが、いわゆる「平和的生存権」論に立つ「長沼訴訟」はこの類型の憲法訴訟であるという見方もできるかもしれません。「平和的生存権」は憲法本文には直接の根拠はなく、前文にいう「われらは、全世界の国民が、ひとしく恐怖と欠乏から免かれ、平和のうちに生存する権利を有することを確認する」に依拠するものです。いうまでもなく、平和は自由の基礎をなすきわめて重要なものですが、問題はその平和をいかにして実現・維持するかということです。その点については、政策論としては、非武装中立を保つこと、最少限の自衛力をもつこと、より強い戦力をもつこと、等々さまざまな選択肢がありうるわけです。九条の関係から、少なくとも、必要最少限の自衛力を超えた戦力はもてないことははっきりしているかと思いますが、非武装中立なのか必要最少限の自衛力なのか、必要最少限の自衛力といってもその具体的中身は何なのか、については一義的解答を引き出すことは必ずしも容易ではない。そうしますと、「権利」とは何かについて先に論じたところですが、「平和的生存権」といってもかなり理念的なものではないか、ということになってきます。これは九条の解釈ともかかわる大変難しい問題ですが、右のような理解にたちますと、この種の訴訟は、理念的性格の強い「権利」によってわが国の安全保障制度の仕組を変革し、政策のあり方を基本的に変えようとする訴訟であるという見方もできることになりましょう。

より適切な例はアメリカの公共訴訟にみられるかもしれません。それは、例えば、精神病院の施設が劣悪であり、それを改善するためということで、憲法から治療権というようなものを引き出して、それを根拠に精神病院において患者何人に対し医師が何人でなければならないというようなことを求めようとするものです。あるいは刑務所について、残虐で異常な刑罰の禁止に関する憲法規定を根拠にして、独房の広さはいくらでなければならないというようなことを迫る訴訟が提起されています。

●制度改革訴訟と近代司法

田中　アメリカの制度改革訴訟・公共訴訟との対比にも触れられたことに関連するのですが、私も、裁判の政策形成機能を問題にする場合、この種の訴訟をめぐるアメリカの議論からいろいろと学んでおります。ただ、日本の裁判所がもう少し積極的に政策形成機能を果たすべきだと私がいっていることから、日本の裁判所にこのような制度改革訴訟や公共訴訟と同じような役割を期待していると理解して批判される方もあるのですが、私の主張していることなどは、制度改革訴訟や公共訴訟に比べれば雲泥の差があり、重要な訴訟事件において多くの裁判官が事実上考慮している判決の機能・効果に対して、もう少し積極的な位置づけを与えてはどうかという程度のささやかなものなのです。もちろん、制度改革訴訟や公共訴訟で裁判に期待されている役割のなかには、このようなささやかな考え方によっても、正統な役割として裁判所が引き受けて然るべきものもあるわけですが、それによって裁判の従来の役割がそう大きく変わるとは思えないのですが……。

佐藤さんは、このあたりを近代司法との関連でどのように考えておられるのでしょうか。

佐藤　日本のことについてご指摘には同感ですが、アメリカの公共訴訟や制度改革訴訟に限っていいますと、——主として最も徹底したものを念頭においてのことですが——形としてはなお近代司法の特質を維持しているようですけれども、実質は近代司法とは相当違うのではないかという印象をもちます。

複雑な現代国家のあり方に司法も適応しなければなりませんが、このような公共訴訟については幾つかの疑問がないわけではありません。第一に、憲法はそれほど伸縮自在かという疑問です。これが極端に進みますと、ルール懐疑主義といいますか、憲法は定かなる意味をもたず、何とでもなるものだという理解に通ずることにならないか、という疑問です。第二に、近代司法を全く変質させてしまう契機をはらんでおり、統治構造のあり方を根本的に考え直さなければならないことになるのではないかという疑問です。第三に、これと関連しますが、民主制との関係をどう考えたらよいのかという疑問です。司法権の独立の保障をどう位置づけるべきことになるのか、難しい問題があるように思います。最後に、裁判所の能力面にかかわる問題です。明確な基準や指針が実定法上存しないものについて、裁判所が非常に幅広く関与するということになりますと、裁判所の実際上の能力如何という問題がでてくるでしょう。

ただ、わが国のことについていえば、第二の類型の憲法訴訟との関連で申したことですが、裁判所は権利の判定のレベルでは〃法による裁判〃という基本を大事にしながらも、救済のレベルではより弾力的・積極的に取り組んで然るべきではないか、というように考えています。この点では、アメリカの公共訴訟（論）に学ぶべきところが大きいように思います。

Ⅳ 司法と救済

権利の判定と救済

田中　また〃二人だけで話を進めるな〃と注意されるかもしれませんが、一つ質問させて下さい。これは、憲法訴訟に限らず、現代型訴訟一般についていえることですが、全般的に日本の裁判所が自己抑制しすぎる、あるいは、裁判に対する期待に十分応えていないのは、アメリカの裁判所のように、エクイティ（衡平法）に基づく権限がないこととも関連して、救済の問題がネックになっていて、〃救済が難しいから権利も認めない〃という考え方があるように思われます。しかし、考え方としては、司法的救済ができるかできないかは別として、実定法的規準に照らしてみて違法な状態や権利侵害があると判定できるのならば、それははっきりと判決で宣言して、違法状態や権利侵害にどう対処するかということは、問題によっては立法や行政に任せるという形で、裁判所が本来の守備範囲を守りながら、裁判所に対する期待にもう少し積極的に応えていくという対応の仕方も考えられるのではないでしょうか。このあたり、憲法訴訟の場合、日本の裁判所の傾向はどうなのでしょうか。

佐藤　おっしゃるように、私も、権利の判定をきちっとやって、あとは立法や行政に任せるということも大事だと思います。救済の問題を厄介視して権利の判定を左右させるというようなことがあると大変です。ただ、ときには裁判所が救済の問題に積極的に取り組まなければならないときもあり、そういうことも司法権の内実に属するものであるという自覚も大事なように思います。

わが国で、救済の問題を大きくクローズアップしたのは、「議員定数訴訟」ではないかと思います。もっとも、それ以前にも、迅速な裁判の保障との関係で、最高裁判所は、従来の態度を改め、実定法に明文の規定がないにもかかわらず、免訴という方法を用いて事件を処理するといういき方をとった「高田事件判決」（最大判昭和四七年一二月二〇日刑集二六巻一〇号六三一頁）があります。裁判所は、いわば救済方法を司法的に創造したわけです。当初この判決が司法のあり方に関してもちうる広汎な意味が必ずしも十分理解されていなかったようですが。ところで「議員定数訴訟」についての五一年判決（最大判昭和五一年四月一四日民集三〇巻三号二二三頁）は、違憲だとしながらも、「事情判決」の法理を用いて選挙を無効とはしなかったわけですが、裁判所としては、裁判所が憲法違反だというのだから国会はその意を汲んで是正してくれるだろう、いきなり裁判所が深くコミットするよりもその方が妥当だと判断したのだろうと思います。しかし、ご存知のように国会がそれになかなかこたえてくれないものですから、裁判所としてはより深くコミットせざるをえないかもしれない状態が生まれてきています。公職選挙法は、行政事件訴訟法三一条の定める「事情判決」の手法は公職選挙法の選挙の効力に関する訴訟については準用しない旨明記しているのですが（二一九条）、五一年判決は、にもかかわらず、「事情判決」の手法の基本的な考え方は本件のような場合にも妥当するとして先に述べたような判決をしたのです。国会が是正を怠り、裁判所としてより深く問題にコミットせざるをえない場合、五一年判決の延長線においてどのような救済方法を案出するか非常に注目されるところです。

近代司法と救済

このように、裁判所が救済について法創造的機能をもつとして、それはどのような根拠に基づくものなのかという問題があります。田中さんがおっしゃったように、わが国ではエクイティというような伝統はないわけですね。けれども、憲法論的にいえば、裁判所に人権の実効的保護をゆだねている以上、裁判所が人権侵害があったと判断した場合、その侵害を匡し、権利の実現をはかることも期待されており、それは司法権に付随した作用といってもよいのではないか、あるいは裁判所の規則制定権と一体的に考えうるところがあるのではないかと思うのです。

松村　救済の問題については、権利の判定と分けて柔軟に考えるということは、近代司法の観念を超えてしまうことになるのか、それとも、近代司法に基づいても認められるものなのか、あるいはもう一つ別のところにそういう権能が考えられるということなのか、その点が問題になると思うんですが。

佐藤　それについてはいろいろ議論の可能性があると思いますが、私自身は、ごく単純化していえば、近代司法と矛盾するものではないと考えています。明確な実体法上の規準に基づく裁判という点はそう簡単に動かせないものだと思っていますが、救済はその実現にかかわるものですね。近代司法は救済の問題もその中に収めていたものであるが、総じて権利の判定と一体的な関係にあって救済それ自体が目立つことがなかったのに対し、積極国家化と関連して権利の性格が変化したり、中身が変容するに伴って、救済の独自性がクローズアップされることになったという見方ができるのではないでしょうか。

救済権能の限界

松村　しかし、権利侵害になると判定しさえすればその後救済のために司法権が何ごとでもなしうる、というわけではないと思われるんですが、その限界はどのように画されることになるのでしょうか。

佐藤　いわれるように、救済のために裁判所は何ごとでもなしうるということではないと思います。ただ、その限界は何かは難しい問題ですね。権力分立だとか裁判所の能力といったような事柄が関係してくると思います。そしてこれらの事柄は、機械的にある種の結論を強要するというよりも、裁判所と政治部門との具体的なかかわりあいの中で考えなければならないところがあるように思います。

例えば、「議員定数訴訟」についていいますと、裁判所がいきなり別表を自ら作り直して国会に強要することができるかというと、それは無理だろうと思いますね。選挙に関する事項は法律でこれを定めるとする憲法四七条との関係からいっても、国会の自発的な是正を待つというのが裁判所のとるべき基本的姿勢だろうと思います。五一年判決を含めてそれ以降の最高裁判所の態度ないし手法には批判もありますが、それが国会の出方を見ながら一歩一歩より強い手段を講じようという姿勢であるとすれば、必ずしも間違ったことではないと思います。

要するに、救済だからといって裁判所として客観的に超えられない枠と、事態の推移の中で具体的に考えていかなければならないものとがあるということでしょうか。

松村　結局、侵害された権利の性質、つまりそれについてはどのような救済が必要なのかというところ、それから、日本国憲法下における司法権の仕置づけの問題、さらにもっとダイナミックに、それに対して議会や行政府がどのように対応してきたかということ、それらをすべて総合して判断して、裁判所の救済の権能の限界が決定されるということでしょうか。

佐藤　そういうことだろうと思います。いわゆる制度改革訴訟で違憲判決がなされた場合、一般に議会や行政府の積極的・協力的な対応を必要とするものですが、実際に議会や行政府が判決を誠実に受けとめ措置を講じてくれれば問題は解決されていくわけですね。然らざるとき裁判所としてより深く救済にコミットしなければならなくなるわけです。議会や行政府の対応関係の中で救済の問題を具体的に考えていかなければならないという意味で、救済には政策的・裁量的判断が伴なわざるをえないということだろうと思います。

●おわりに

まだ話し足りない点もあちこちに残っていますが、予定していたテーマについて、基本的な事柄には一通り触れてきたので、あとは各自じっくり考えていただくことにして、今日はこれくらいにしましょうか。

松村　お話を伺っただけではすぐには理解しにくいところもありましたが、物事を法的に考えるヒント、手がかりみたいなものを随所で与えていただいた気がするので、自分でよく整理してみたいと思います。

田之上　段々と話のレベルが高くなって、疲れました。いろいろなお話を一度に伺ったので消化不良を起こしそうですが、どうも有難うございました。

田中　じゃあ、今日はこれで終ることにしましょうか。みなさん、お疲れさまでした。

有斐閣リブレ No.17——現代法の焦点

1987年6月30日　初版第1刷発行 ©

著　　者	佐　藤　幸　治 田　中　成　明
発行者	江　草　忠　敬
印刷・製本	中村印刷株式会社 株式会社 吉田三誠堂製本所
発行所	株式会社 有　斐　閣

〒101 東京都千代田区神田神保町2—17
電話 (03) 264-1311　振替　東京 6-370
京都支店〔606〕左京区田中門前町44

現代法の焦点 法感覚へのプロローグ(オンデマンド版)
〈有斐閣リブレ〉

2013年11月30日　発行

著　者　　佐藤　幸治・田中　成明
発行者　　江草　貞治
発行所　　株式会社 有斐閣
〒101-0051　東京都千代田区神田神保町2-17
TEL　03(3264)1314(編集)　03(3265)6811(営業)
URL　http://www.yuhikaku.co.jp/

印刷・製本　　株式会社 デジタルパブリッシングサービス
URL　http://www.d-pub.co.jp/

AG720

ISBN4-641-91212-2